우리, 엄마 아빠 됐어요!

우리, 엄마 아빠 됐어요!

지은이 l 박수웅
초판발행 l 2008. 4. 30
l l 쇄발행 l 2012. 7. 10.
등록번호 l 제 3-203호
등록된 곳 l 서울시 용산구 서빙고동 95번지
발행처 l 사단법인 두란노서원
영업부 l 2078-3333 FAX 080-749-3705
출판부 l 2078-3477

▌책값은 뒤표지에 있습니다.
ISBN 978-89-531-0973-5   03230

▌독자의 의견을 기다립니다.
tpress@duranno.com   http://www.Duranno.com

우리, 엄마 아빠 됐어요!

| 박수웅 지음 |

두란노

contents

부모로서 청지기 의식을 회복할 때
우리 자녀들을 향한 하나님의 계획하심이
온전히 이루어집니다.

추천사 | 홍정길 목사(남서울은혜교회 담임)

명품 인생,
걸작 인생을 위한 지침서

명품은 어느 시대와 상황에서도 변함없이 그 가치를 인정받습니다. 그래서 사람들은 명품을 소유하려 애쓰지만, 정작 자신의 인생을 명품으로 만드는 것에는 별다른 노력을 하지 않습니다. 성경을 보면 진정한 명품 인생, 걸작 인생을 살았던 사람들이 있습니다. 이런 성경 속 걸작 인생을 산 사람들의 삶을 열심히 뒤쫓아 온 박수웅 장로님, 어느덧 세월이 흘러 그 삶이 진정한 명품의 반열에 오르지 않았나 생각합니다.

하나님 앞에서 풍성히 누릴 줄 알았고, 하나님의 뜻을 이 땅에 드러내는 데 생의 모든 부분을 드렸던 삶이 박수웅 장로님의 인생입니다.

이 책은 박수웅 장로님의 귀한 삶의 원리를 토대로, 그것을 체질화 시켜서 타인을 돕는 가능성을 제시합니다. 또한 인생을 살며 만날 수 있는 여러 상황들과 그에 필요한 지혜가 쉽게 전달이 되고 있습니다. 이 책은 우리 삶에 실질적인 지침서가 되어 줄 것입니다.

진정한 명품 인생을 꿈꾸는 분들에게, 또 자녀들에게 명품 인생을 살게 하고 싶은 분들에게 이 책을 권합니다.

추천사 | 이동원 목사(지구촌교회 담임)

자녀교육의 오류 없는 해결책은 성경뿐입니다

박수웅 장로님이 또 사고를 치셨습니다.

'사고'는 사람을 고치는 일이란 뜻입니다.

오늘 우리 시대의 모든 문제는 가정에서 비롯됩니다.

자녀 문제는 사실상 부모 문제의 거울에 불과합니다.

우리는 열심히 자녀교육에 투자하고 있습니다.

그러나 대부분의 자녀교육은 학교에 보내는 교육입니다.

그러나 오늘의 무신론적 교육으로 자녀들은 오히려 망가지고 있습니다.

우리는 자녀들에게 삶을 가르치도록 위탁받은 부모들입니다.

그러나 문제는 우리가 그들을 어떻게 가르쳐야 할지 모른다는 것입니다.

진정한 자녀교육을 위한 오류없는 유일한 매뉴얼은 성경뿐입니다.

그러나 이 성경으로 자녀교육을 어떻게 할 것인가가 문제입니다.

영원한 청년, 그리고 청년들의 영원한 친구이신 박수웅 장로님께서 이 문제를 속 시원하게 해결할 명저를 다시 탄생시키는 사고를 치셨습니다.

이 시대의 모든 부모 된 자, 부모 될 크리스천들에게 이 책을 추천하는 바입니다.

성경적 원리로 자녀를
천국 인재로 키우십시오

박수웅 장로님의 신간 「우리, 엄마 아빠 됐어요!」는 단순한 자녀교육의 이론서가 아닙니다. 이 책은 경험을 통해 터득한 자녀교육의 원리가 담긴 실천서입니다. 저자가 일생 동안 자녀를 양육한 경험에 성경적 원리를 담고, 자신의 경험에 교훈을 담은 이 책은 자녀양육의 보배입니다. 글로벌 시대에 글로벌 인재를 키울 수 있는 비결을 담은 이 책은 균형 잡힌 책입니다.

자녀교육은 부모교육에서 시작되어야 한다는 저자의 원리는 정말 탁월한 접근입니다. 문제 자녀의 배후에는 문제 부모가 있다는 말이 있습니다. 문제 부모의 배후에는 쓴 뿌리를 품고 살 수밖에 없는 아픈 과거가 있습니다. 그런 까닭에 우리는 문제 부모를 함부로 정죄해서는 안 됩니다. 다만 자녀교육의 전문가가 할 수 있는 일은 아픈 과거에 대해 긍정적인 반응을 할 수 있도록 도와주는 것입니다. 과거의 상처를 진주로 만들 수 있도록 도와주는 것입니다.

명문 가정은 문제가 없는 가정이 아니라 문제를 극복한 가정에서 나옵니다. 문제가 기적을 창조하는 재료이듯이 역기능 가정 속에 명문가의 씨앗이 담겨 있습니다. 또한 불행한 가정 속에 행복의 씨앗이 담겨 있습니다. 이 책을 읽는 분의 가정 형편이 어떠하든지 아직 결론을 내리지 마십시오. 완전히 끝나기 전까지는 끝난 것이 아닙니다. 최후에 웃는 자가 최후의 승리자인 것처럼 최후에 웃는 가정이 아름다운 가정입니다. 예수님은 "먼저 된 자가 나중 되고, 나중 된 자가 먼저 된다"고 말씀하셨습니다.

이 책은 불행한 가정을 역전시킬 수 있는 성경적 비밀을 가르쳐 줍니다. 이 책의 아름다움은 글로벌 인재를 키울 수 있는 전체 그림을 보여 준 후에, 섬세하게 자녀양육의 각 분야를 다루고 있다는 점입니다. 이 책은 자녀양육에 대한 작은 차이를 설명해 주는 책입니다. 명품은 작은 차이를 통해 만들어지는 것처럼, 명문가도 작은 차이에서 만들어집니다. 탁월함은 아주 작은 것에 달려 있습니다. 작은 차이는 미세한 움직임을 감지할 수 있는 사람의 몫입니다. 작고 은근한 사랑 속에 깊은 맛이 있습니다. 작은 떨림을 감지하는 사랑 속에 아름다움이 있습니다. 이 책은 바로 그 작은 차이를 배우고, 느끼고, 경험할 수 있도록 도와줍니다.

저는 이 책을 자녀를 훌륭하게 양육하길 원하는 엄마 아빠들에게 추천하고 싶습니다. 불행한 가정의 과거를 떨쳐버리고 명문가를 꿈꾸는 분들에게 이 책을 추천하고 싶습니다. 성경적 원리를 따라 자녀를 천국 인재로 키우기 원하는 분들에게 이 책을 추천하고 싶습니다. 진지하게 이 책을 읽고, 이 책 속에 담긴 원리를 성실하게 적용해 보십시오. 놀라운 결과를 경험하게 될 것입니다.

부모, 자녀의 본이 되는
든든한 멘토

가정생활세미나에서 "가정에 대해 무식해서 20년 동안 불행하게 살아온 것을 무엇으로 보상할꼬. 자녀들은 우리 같은 전철을 밟지 말고 행복한 결혼생활을 해야 할 텐데…" 하며 울먹이는 부부를 보았습니다. 어찌 이 아픔이 이 부부만의 문제이겠습니까? 하나님은 깨지는 가정들이 많아지는 이 시대에 박수웅 장로님을 '가정 행복 전도사'로 택하신 것 같습니다.

저는 필자와 1989년부터 가정사역으로 동역하면서 가장 측근에서 그분과 그 가정을 통해 역사하시는 하나님을 보고 있는 산 증인입니다. 박수웅 장로님과는 CMF선교원에서 주관하는 '선교사 부부 축제'와 KOSTA 등으로 해외에서도 동역하며 함께 가정사역을 하고 있습니다. 그는 가정

사역에 전념코자 2004년도에는 미국에서 잘나가던 마취과 의사직을 자진 은퇴하였습니다. 은퇴하던 그날 오전에 병원에서 남은 일을 처리하고, 바로 오후에 아프리카 선교사 부부 축제를 위해 우간다로 떠났습니다. 뿐만 아니라 은퇴 연금의 첫 달분 전액을 선교사 부부 축제에 기부했습니다. 박 장로님은 가정을 세우는 일에 온몸과 마음을 다해 열정적으로 헌신하는 겸손과 눈물의 사람입니다. 모범적인 가장으로서 말과 행동이 정확하게 일치하며, 이를 보고 자란 자녀들이 성공적인 삶을 산다는 것은 너무나 당연한 결과입니다.

박 장로님은 「우리… 사랑할까요?」, 「우리, 결혼했어요!」로 많은 젊은 이들이 올바른 가정을 이루도록 도왔습니다. 이제는 부모들을 위한 필독서인 「우리, 엄마 아빠 됐어요!」를 발간하게 됨을 진심으로 축하드립니다. 저는 이 책을 받아들고 재미있게 단숨에 읽어 내려갔습니다. 설교집이나 교과서와는 달리, 가정사역 전문가의 자녀교육 원리를 필자의 가정에 실제 적용한 것을 바탕으로 구체적이고 개인적으로 써 내려갔습니다. 본인 가정의 아픔을 솔직하게 드러내며 치유, 회복되어 가는 과정을 보여 주는 아름다운 감동의 이야기도 들어 있습니다. 이 고백은 문제가 상처로 남는 것이 아니라 하나님의 은혜로 해결되어 행복한 결혼생활로 회복될 수 있음을 보여 주어 우리에게 희망을 갖도록 하기에 충분했습니다.

필자는 자녀에게 필요한 미래를 경영하는 능력을 마땅히 부모가 부여해 주어야 한다고 강조합니다. 부름받은 청지기로서 하나님의 진리를 발견하고 그 진리를 따라 꿈꾸는 자녀, 하나님의 섭리를 보면서 미래를 경영하는 자녀는 반드시 미래의 주인공이 될 것이라는 믿음으로 자녀를 양육하라고 합니다. 그는 우리 부모들에게 가정에서 미래의 주인공을 키워가는 막중한 사명을 발견하여, 자녀의 본이 되고 든든한 멘토로서의 역할을 감당히는 청지기가 되자고 깅조하고 있습니다.

우리의 가정은 참으로 소중합니다. 그러하기에 부모의 역할 또한 너무나 귀합니다. 자녀를 최고와 최상의 교육법으로 가르치고자 하는 부모들에게 바로 이 책을 강력히 추천합니다.

완성되지 않은 자녀교육서

「우리… 사랑할까요?」와 「우리, 결혼했어요!」, 그리고 그 다음은 무엇일까요? 바로 「우리, 엄마 아빠 됐어요!」입니다.

근 40년간의 결혼생활 중에 하나님께서는 우리 부부에게 1녀 2남을 주셨습니다. 이는 제가 결혼 전 꿈꾸고 기도하던 자녀의 수입니다.

그러나 지금 돌이켜보니 너무 그릇이 작았다는 생각이 듭니다. '적어도 2녀 3남은 구했어야 했는데…' 하는 후회가 밀려옵니다. 그만큼 자녀는 하나님의 축복이기 때문입니다. 자식은 여호와의 기업이요, 그의 상급이며, 또한 장사의 수중의 화살(시 127:3-4)이라고 하지 않습니까? 실제로 세 자녀를 보면, 제가 그들을 통해 얼마나 많은 축복을 받았는지 알 수 있습니다. 제가 그들을 키웠다기보다는 그들이 저를 키웠다는 표현이 정확

합니다. 첫딸의 반항과 아픔을 통해 저는 낮아졌고, 저 자신을 하나님 앞에 내려놓게 되었으며, 하나님의 마음을 조금이나마 깨닫게 되었습니다. 아들들의 성장하는 모습 속에서 저는 정직성(integrity)과 단순함(simplicity)을 지금도 배우고 있습니다.

이런 큰 축복을 어찌 저만 누릴 수 있겠습니까? 기쁨과 축복은 나눌수록 배가 된다는 말처럼, 제 부족한 자녀교육의 여정을 통해 다른 가정이 조금이나마 세워질 수 있기를 바라는 마음에서 그동안 '자녀교육 세미나' 등을 통해 나눴던 말씀과 세 아이를 키웠던 경험담, 성경을 통해 묵상했던 자녀교육의 원리를 모아 한 권의 책으로 엮게 되었습니다.

한국은 자녀교육에 관한 한 특별한 열정이 있는 민족으로 정평이 나 있습니다. 이미 출판된 엄청난 양의 자녀교육서들은 그런 열정을 증거해 줍니다. 그런 세상에서 제가 굳이 또 한 권의 자녀교육서를 내놓는 이유는 다른 데 있지 않습니다. 육아기나 성장기 같은 특정 시기에 관한 자녀교육서는 많지만, "마땅히 행할 길을 아이에게 가르치라 그리하면 늙어도 그것을 떠나지 아니하리라"(잠 22:6)는 성경 말씀을 따라 자녀의 어린 시절뿐 아니라 결혼생활, 그리고 인생을 경영하고 관리하는 비법에 이르기까지 부모로서 자녀에게 마땅히 가르치고 심어 줘야 할 내용을 다룬 책들은 찾아보기 힘든 까닭입니다. 즉, 이 책은 제 자녀들의 어린 시절부터 직장생활, 결혼생활에 이르기까지의 보고서이며, 앞으로 그들 인생을 비전 있게 경영하라는 계획서이기도 합니다. 말하자면 아직 완성되지 않은, 완성을 향해 나아가는 자녀교육서인 셈입니다.

그런 면에서 저는 지금도 제 아이들을 향한 자녀교육이 끝나지 않았다고 생각합니다. 그들은 사회적인 명성을 얻는 데는 성공했을지 몰라도, 하나님 나라 백성으로서 구원의 완성을 향해서는 아직도 나아가야 할 존재이기 때문입니다. 자녀들을 통해 우리의 가문이 기독교 명문 가문으로 자자손손 세워져 가야 하기에 부모는 그들에게 때에 맞는 가르침을 심어 줘야 할 사명이 있습니다. 그것이 부모로서 자녀에게 물려줄 가장 가치 있는 유산이기도 합니다.

이러한 내용을 나누기 위해 저는 세 자녀의 소위 성공 스토리뿐 아니라, 부모로서 실수하고 실패했던 교육 내용에 대해서도 이 책에 솔직하게 담았습니다. 세상의 많은 가정들이 이 이야기를 디딤돌 삼아 기독교 명문 가정으로 세워지길 바라는 마음에서입니다.

그래서 이 책의 저자는 제가 아니라 저의 세 자녀입니다. 저와 아내에게 하나님 아버지의 마음을 조금이나마 알 수 있도록 기회를 준 세 자녀야말로 이 책 내용의 주인공들이기에, 책 출간에 부쳐 그들에게 먼저 고마운 마음을 전합니다. 무엇보다 저와 한마음을 품고 자녀를 양육하고, 때로는 자녀교육에 관한 제 무지와 약함을 완벽하게 보완해 준 제 사랑하는 아내 역시 이 책의 공동 저자이기에 고마운 마음 말로 다 할 수 없습니다.

원고 한 장 한 장의 가치를 발견해 주며 기도로 책을 만드는 두란노서원 편집진들께도 감사의 말씀을 전합니다. 성경의 진리 안에서 많은 가정이 세워지길 소망하는 그분들의 수고와 기도가 없었다면 이 책은 나올 수 없었을 것입니다.

무엇보다 오늘의 제가 있도록 양육해 주신 저희 부모님과 이 가정을 태초부터 계획하사 세워 주시고 또 계속해서 세워 가시는 하나님 아버지께 모든 영광과 감사를 돌려드립니다.

2008년 4월

박수웅

PART 1

자녀에게 가장 좋은
교육법으로 행하라

1 부모교육이 먼저다

 자녀들의 바른 성장을 위해서라도 나 자신을 먼저
하나님 앞에서 살펴보고 변화를 위해 몸부림쳐야 합니다.

진짜 명품교육

병원 일을 그만두고, 풀타임 가정사역자로서의 사역을 위해 오대양 육대주를 다닌 지 5년째가 되었습니다. 그동안 각 나라를 다니며 가정 회복 세미나를 열었는데 그때마다 사람들이 제게 종종 묻는 질문이 있었습니다.

"장로님, 어떻게 장로님 자녀들은 하나같이 다 잘될 수가 있었어요?"

그러면 제 가정적 배경을 아신다는 어떤 분이 옆에서 대신 대답해 줍니다.

"의사인 아버지에, 교양 있는 어머니 밑에서 컸으니 잘될 수밖에…. 어런히 명품교육만 골라서 시키셨겠어?"

이런 답변에 "아니!"라며 손사래를 치기도 전에 옆에서 듣던 사람이 맞장구를 칩니다.

"하긴, 한국에서도 돈이 있어야 아이들을 명문대학에 보내는데, 미국 사회에서 그 정도로 자녀들을 키워 내셨다는 건 대단한 열성과 뒷받침이 있었다는 뜻이야. 우리 같은 사람은 꿈도 꿀 수 없어."

이런 말씀을 들을 때 저는 어디서부터 어떻게 이야기를 풀어 가야 좋을지 몰라 난감합니다. 명품교육이란 게 과연 무엇이며, 자녀교육과 아빠의 직업이 무슨 상관관계가 있는지, 정말 돈과 부모의 열성이 자녀들을 잘 키워 내는 필수요소인지…. 무엇보다 아직 제가 아빠로서의 준비가 없을 때 성장통을 겪어야 했던 우리 세 아이의 아픔의 나날과 좋은 부모가 되기 위한 우리의 몸부림들, 그 과정에서 우리를 지키시며 인도하셨던 하나님의 은혜는 언급되지 않은 채 '명품교육'을 운운한다는 것이 소위 '치맛바람교육'의 연속으로 들려 무척 안타깝습니다. 또한 우수한 대학을 졸업한 뒤 목회자로, 또 변호사로, 또 유명 컨셉 아티스트(concept artist: 게임이나 영화의 전체 스토리와 분위기에 맞는 캐릭터나 배경, 각종 도구 등을 제작하고 구축하는 사람)로 자리 매김한 우리 세 아이의 타이틀만을 놓고 성공한 자녀교육의 사례로 본다는 사실도 아쉽기만 합니다.

결론부터 말씀드리면 우리 세 자녀들은 자라면서 그 흔한 사교육조차 한 번 받아 본 적이 없습니다. 그들이 성공적인 인생을 살아가고 있는 거라면, 그것은 그 아이들이 명문대학을 졸업했다거나 좋은 직업을 갖고 있다는 사실 때문이 아니라, 자신의 적성과 소명을 따라 직업을 선택하고, 예수님을 닮아 가는 성품으로 세상에 영향력을 끼치며, 믿음 안에서 각각 행복한 가정을 세워 나가고 있기 때문일 것입니다.

그러므로 마치 수학 공식을 찾아내듯, 제게서 자녀교육의 남다른 성공 비법을 캐내어 자녀들에게 적용하려 든다면 그것만큼 소모적인 일도 없습니다. 사람들의 예상과는 달리 우리 가정에는 치맛바람이나 좋은 학군, 또는 족집게 고액 과외와 같은 종류의 교육 비법이 따로 없었습니다. 저는 다만, 성경에서 찾은 자녀교육의 원리를 따라 가장 기초적이고도 기본적인 양육법에 충실했을 뿐입니다.

한국에서는 이와 달리 이런 기초와 기본보다는 특별한 교육법으로 자녀를 양육하려는 경향이 일반화되어 있는 것 같습니다. 이제는 무엇이 기초이며 기본인지조차 모른다는 느낌마저 듭니다. 정권에 따라 바뀌는 새로운 교육 정책에는 예민하게 대응하면서도, 소중한 자녀들의 인생을 성공과 행복으로 이끌 핵심적인 가치와 진리를 그들에게 심어 주는 데는 무딥니다.

어느 시대 어느 나라에서든, 우리 아이들의 영혼을 건강하게 하고 시대의 '빛과 소금'으로 살아가도록 이끄는 하나님의 말씀은 동일합니다. 이는 곧 우리 자녀들을 영향력 있는 지도자로 키워 내기 위한 하나님의 방법은 변함없음을 의미합니다. 그분은 오직 말씀이라는 기준으로 우리 자녀들을 이끄십니다. 그 하나님의 방법, 그 말씀의 기초 위에 자녀들을 교육하려는 부모들을 이 자리에 초대합니다.

〈성경적 자녀교육의 원리 1〉 내가 먼저 변화되자

우리가 아무리 아니라고 발버둥 쳐도 "자녀는 부모의 거울"입니다. 즉, 자녀 문제는 부모 자신의 문제라는 것입니다. 따라서 진정한 자녀교육이 이루어지려면 자녀를 교육하기 전에 부모 자신을 먼저 교육해야 합니다. 부모가 달라지지 않은 채 아이에게 달라지라고 호통 치는 것은 '교육'이라고 말할 수도 없습니다.

우린 이미 부모의 혈액형, 성격, 재능 등이 자녀에게 유전된다는 걸 알고 있습니다. 더 나아가 삶에 대한 대응 방식, 인간관계 방식, 생활 습관, 언어 습관, 이 모든 것이 부모에게서 비롯됩니다. 유전적인 성향 말고도 자녀의 좋은 습관과 나쁜 습관 역시 거의 부모를 통해 형성된다는 것입니다.

그런데도 부모는 "너 어디서 그런 걸 배워 가지고 왔어?"라며 아이를 다그칩니다. 그러면 아이는 속으로 이렇게 얘기하고 싶을 겁니다.

"아빠한테 배웠잖아요."

제가 아는 한 분이 이런 말을 한 적이 있습니다.

"장로님, 제 아이가 어느 날부턴가 말하는 습관이 이상한 거예요. 화가 난 듯 이를 앙다문 채 입술만 약간 벌려서 대충 말하길래 한 소리를 했어요. 말할 때는 입을 크게 벌리고 또박또박 발음하라고. 근데 어느 날 남편이 제게 그러는 거예요. '당신, 일에 몰두할 때면 내 말에 항상 건성으로 대답하는 거 알지? 이를 꽉 다문 채 겨우 소리만 들리도록 말하더라. 어떤 땐 기분이 좀 상해.' 그래서 제가 그랬어요. '내가 언제?' 그러자 옆에 있던 제 아이가 그러더라고요. '엄마, 말할 때는 입을 크게 벌리고 또박또박 말해야지요.' 그 말을 듣고 제가 정말 기절할 뻔했어요."

아이가 자주 분노하거나 두려워하는 일, 염려하거나 거짓말하는 습관, 게으른 모습, 자꾸 일을 뒤로 미루는 습관 등도 자세히 뿌리를 살펴보면 부모에게서 물려받았음을 알게 됩니다. "습관이 그 인생의 성공과 실패를 좌우한다"는 이치를 생각해 볼 때 이는 매우 심각한 문제입니다. 다음의 고백을 들어 봅시다.

"사람들은 저희 부부를 보면서 순둥이 부부라고 말하곤 했어요. 심지어는 법 없이도 살 사람들이라고 말했지요. 그런데 우리 아들은 일곱, 여덟 살 때부터 주일학교 선생님들의 걱정거리로 입방아에 오르내리는 거예요. 어떻게 그런 부모 밑에 이런 아이가 있냐는 거지요. 무엇보다 아이가 툭하면 화를 내고 툭하면 돌출행동을 해서 선생님들이 감당하기 힘들어했어요. 저 역시 그런 아들을 보면서 달래도 보고 훈계도 해보고, 때로는 매도 들어 보면서 규율에 맞게 키우려고 했지요. 이대로 아이가 자란다면 사회성 면에서 심각한 문제를 일으킬 수 있겠다 싶었거든요. 아이의 정서가 안정되어야만 지능과 지혜도 제대로 자라 간다는 걸 알기에 아이를 놓고 기도도 많이 했어요. 그런데 어느 날부턴가 주님께서 저 자신을 바라보게 하시더라고요. 5년째 이어진 남편의 실직, 몸져누워 계신 친정어머님을 모셔야 하는 상황이 이어지면서 안팎으로 너무나 지쳐 있는 저 자신을 보게 되었어요. 남들에게 비쳐지는 모습과 달리 집안에서 저는 아이에게 매우 공격적이고 불친절한 말들을 내뱉고 있더라고요. '네가 알아서 해', '그것도 제대로 못해서 어떡하니?', '내가 그걸 일일이 대답해 줘야겠니?' 아빠, 엄마와의 인격적 교류가 단절된 아이의 마음속에는 '거절감'이라는 상처가 쌓였고, 아이는 정서적으로 '분노'가 많은 상태가 되었던 거예요. 말하자면 우리 가정 형편에 대한 제 마음속 분노가 아이에게 그대로 전해졌던 것이지요. 이 사실을 깨닫고 얼마나 울었는지… 우리 집안 형편이 이토록 어려운데 아이마저 어렵게 크고 있구나 생각하니 너무 슬펐어요. 희망이 다 사라진 것만 같더라고요."

어떻습니까? 이런 일들이 비단 이 가정 안에서만 나타나는 일이겠습니까? 사실, 우리가 자녀들에게 올바른 습관을 길러 주지 못하는 변명을 대자면 얼마든지 찾아내어 우리 자신을 합리화할 수 있습니다. 그러나 합리화만 계속하다 보면 부모의 좋지 않은 모습이 자녀들에게도 그대로 이어지는 '악순환'의 고리는 끊어지지 않습니다.

"나는 우리 부모님한테 그렇게밖에 교육받지 못했으니까."

"내가 아무리 가장이라도 집안 꼴이 이런데 술을 안 먹을 수가 있어야지. 나도 살아야 할 거 아니야?"

"가정을 위해 내 한 몸 부서져라 일하는 것도 힘든데 아이들을 인격적으로 보살펴 줄 여력이 어디 있겠어?"

"아이가 화내는 게 나를 닮아서라고? 그만큼도 화를 안 내고 살면 도대체 나는 어디 가서 답답한 속을 풀라는 거야?"

모든 부모들이 이렇게 자기 자신의 문제를 합리화한다면 가정의 희망인 아이들의 밝은 미래도 보장할 수 없습니다. 자녀들의 바른 성장을 위해서라도 나 자신을 먼저 하나님 앞에서 살펴보고 변화를 위해 몸부림쳐야 합니다. 그러면 나도 살고 자녀도 살아나는 놀라운 일들을 경험할 것입니다. 이제 방금 언급한 이 분의 이어지는 고백을 들어 보십시오.

"저는 그 후 어떻게 이 문제를 풀어 갈까 고민했습니다. 먼저, 병든 노모를 살펴 가면서 남편 대신 가정경제를 책임져야 하는 저 자신의 고통을 하나님 앞에 토하기 시작했어요. 너무 힘들어 때로는 모든 걸 포기하고 싶었어요. 그렇게 매일 밤마다 통곡하는 시간을 갖기 시작하자 마음은 둘째 치고 이상하게 몸이 가벼워지는 걸 느꼈어요. 아침에 일어나도 몸이 천근만근이어서 만사가 귀찮았는데 조금 조금씩 몸이 회복되어 가더라고요. 기도를 통해 제 마음속의 독을 하나님 앞에 토해 내니까 몸이 가벼워진 건지, 아니면 하나님께서 제 몸을 만져 주셔서 제가 건강해졌는지 모르겠지만 이쨌든 기도하기 시작하면서 몸이 좋아진 건 사실이예요. 동시에 저는 늘 화가 나 있는 우리 아이에게도 '그러지 말라'며 야단치는 것을 멈추고, 먼저 아이의 감정을 받아 주기 시작했죠. 물론 그것은 교회 집사님들이 어떤 책에선가 보았던 것을 제게 일러 준 방법이었어요. '그랬니? 어, 그랬구나. 그래서 네가 화가 났구나'라면서 아이의 말에 귀 기울여 주는 여유를 보였던 거죠. 저는 항상 시간에 쫓기는 사람이라 아이가 우물거리면 '나중에 얘기하자'며 아이의 말을 중간에 끊곤 했는데, 이제 인내심을 갖고 끝까지 들어 주기 시작했어요. 그런 후에 '네가 그래서 화가 났구나. 그런데 그 선생님은 왜 네게 그렇게 말씀하셨을까?'라며 아이 스스로 타인의 입장으로 들어가 감정이입할 수 있도록 도왔어요. 아마 그런 시간을 가진 지 1년여 정도 지나면서부터였을 거예요. 주일학교와 학교로부터 아이에 대한 칭찬이 들려오는 거예요. 아이가 선생님 말씀을 잘 귀담아 듣는다는 거였죠. 제가 변하니까 아이도 변한다는 걸 얼마나 깊이 실감했는지 몰라요. 그 후 우리 이이는 동생도 잘 돌보고 학교 공부도 열심히 하는 성실한 아이가 되었어요. 2-3년 전의 그때

와는 정말 너무도 달라진 모습이예요. 물론 제 마음 상태나 평소의 언
어 습관, 생활 습관 역시 그때와는 참 많이 달라졌어요."

이 분의 이야기에서 우리는 한 가지 진리를 발견합니다. 부모의 변화가
아이의 변화로, 부모의 성장이 아이의 성장으로 곧장 이어진다는 것입니
다. 그래서 자녀를 교육하는 일은 쉽지 않지만 그만한 대가를 치를 만한
일이기도 합니다. 자녀야말로 하나님께서 우리에게 허락하신 기업이요
상급이기 때문입니다.

올바른 자녀교육의 첫 번째 단계는 부모 자신을 살피는 일이라고 했습
니다. 그런데 이런 얘기는 기독교가 아닌 일반적인 세상에서도 하는 얘깁
니다. 그렇다면 기독교에서, 특히 성경에서만 유독 꼭 집어 말씀하는 자
녀교육의 첫걸음이자 부모교육의 핵심은 무엇일까요?

그것은 '죄의 뿌리'를 보는 일입니다. 더 나아가 죄의 뿌리를 잘라 내
는 일입니다. 그래야 대대로 이어져 온 죄의 뿌리가 끊기고 진정한 축복
이 자녀들에게까지 흐를 수 있습니다. 이것은 부모의 생활 습관을 고치라
는 단순한 의미를 넘어서, 그 부모의 부모로부터 이어졌던 영적인 쓴 뿌
리가 무엇인지를 깨닫고 내 대(代)에서 그것을 '믿음'으로 끊어야만 진정
한 자녀교육이 이루어질 수 있다는 뜻입니다.

저는 매우 훌륭한 아버님과 어머님 사이에서 교육받고 자랐습니다. 그
것은 남다른 축복임이 분명합니다. 제 할아버님은 우리나라 초대 교회 시

절에 예수님을 믿고 한의사 집안에서 쫓겨나 소작농으로 살며 교회를 다섯 군데나 세우셨고, 신사참배를 거부하다 순교까지 당하셨습니다. 그와 같은 할아버님의 순교자적 정신은 아버님의 삶 속에도 고스란히 이어져 아버님은 무엇을 하든 '생명을 걸고' 하셨습니다. 가난과 핍박 속에서도 목숨 건 신앙 자세를 견지하셨고, 철저하게 성실히셨으며, 철지하게 신실하셨습니다.

그런데 문제는 어린 자녀들에게까지 그 완벽함과 성실함을 요구하셨다는 데에 있습니다. 아버님은 하나님으로부터 충분한 은혜와 감동을 받아 그렇게 살아가고 계셨지만, 아직 어렸던 저는 그렇게 살아야 하는 것에 대한 충분한 동의와 동기부여가 되어 있지 않았습니다. 하지만 "부모 말씀에 순종해야 한다"는 철칙과 아버님의 그 엄청난 권위 앞에 저는 한마디 저항도 못한 채 유년 시절을 보내야 했습니다. 억압된 감정이 제 가슴속에 그대로 남아 있는 채 말입니다.

그래서인지 아버지가 되자 제가 존경하던 아버님의 모습은 물론이거니와 저를 억압했던 아버님의 일면도 그대로 답습하게 되었습니다. 저도 모르게 큰딸아이를 향해 원칙과 원리를 심하게 강요했고, 고분고분 순종하며 자라던 딸은 사춘기를 지나면서 반항해 오기 시작했습니다. 아, 그때의 그 당혹감과 황당함이란…. 딸아이에 대한 배신감과 서운함은 이루 말할 수 없었습니다.

그러나 '아버지의 권위'만을 들이대며 아이를 계속적으로 몰아세울 수만은 없었습니다. 감사하게도 하나님께서 그 시점에 은혜를 베푸셔서 제게 문제를 풀어 가는 순서를 알게 하셨습니다. 먼저 제 자신을 돌아보게 된 것입니다. 우리 가정에 흐르는, 아니 제게 심겨진 영적인 쓴 뿌리들을 보게 하셨습니다. 아버지라는 권위로 자식을 억압하고 강요하는 제 마음의 쓴 뿌리를 결연히 끊지 않으면 이 쓴 뿌리가 그대로 제 자녀들에게 유전처럼 이어진다는 사실이 몸서리쳐지게 다가왔습니다.

그래서 저는 제 모습을 철저히 회개했습니다. 어린 시절부터 딸아이에게 상처 줬던 일들을 회개했고, 좋은 아버지가 되려면 어떤 모습이어야 하는지에 대해 처음부터 공부해 나가기 시작했습니다.

그러자 자녀들을 부모의 기준과 잣대로 정죄하고 판단하던 모습들이 제게서 떠나갔습니다. 아빠에게 반항하던 딸아이의 태도도 현저하게 달라져 갔습니다. 나중엔 반항하기는커녕 너무도 순종적이고 사랑스러운 모습으로 변해 갔습니다. 그 모든 게 제가 가졌던 권위주위를 회개하면서 시작된 축복이었습니다.

만약 제 안의 쓴 뿌리들을 회개하며 돌이키지 않았다면 저는 분명 우리 자녀들에게 치명적인 아픔들을 유산처럼 남겨주었을 테고, 그들 역시 가정을 꾸리게 되었을 때 저와 똑같은 오류를 범하며 살았을 것입니다. 자녀의 영혼과 무의식 속에는 아버지의 모습 하나하나가 새겨지게 되어 있으니까요. 알코올중독자 아버지 밑에서 알코올중독자 자녀가 나오는 것도, 부모가 이혼하여 역기능 가정 속에 자란 자녀들이 똑같이 역기능 가정을 만드는 것도 마찬가지 이유에서입니다. 내가 영적인 쓴 뿌리들을 제거하지 않으면 내 자녀들 또한 그 쓴 뿌리로부터 비롯된 열매를 먹게 되어 있습니다.

성경에서 이를 보여 주는 대표적인 집안이 헤롯 가문입니다. 헤롯왕 1세는 어마어마한 악을 저질렀습니다. 유대인의 왕으로 태어난 아기 예수를 죽이기 위해 베들레헴 땅에서 태어난 두 살 이하의 아기들을 몽땅 죽여 버렸으며, 열 명의 여인을 아내로 취한 음탕한 사람이기도 했습니다.

그런 그의 뒤를 이은 아들 헤롯 안티파스는 어떻게 살았습니까? 그는 이복동생의 아내 헤로디아를 빼앗아 자신의 아내로 삼았습니다. 또한 자신의 죄를 책망하는 세례 요한을 옥에 잡아 가두었고, 헤로디아의 딸 살로메의 춤에 매료되어 살로메의 소원대로 세례 요한을 죽이고 맙니다. 아버지가 저질렀던 음란과 살인의 죄악을 그대로 답습한 것입니다.

그 집안의 이와 같은 음란과 살인의 죄는 헤롯 아그립바 1세에게도 그대로 전수됩니다. 그는 야고보 사도를 칼로 죽였으며, 그것으로도 모자라 베드로까지 죽이려 감옥에 가두지만 하나님께서 천사를 통해 베드로를 꺼내 주십니다. 결국, 헤롯 아그립바는 하나님께서 치셔서 벌레에 물려 죽고 맙니다.

뒤를 이어 왕위를 차지한 헤롯 아그립바 2세는 어떤 삶을 살았을까요? 그 역시 악한 성품을 그대로 물려받아 사도 바울의 무죄를 일고도 감옥에서 놓아주지 않고 로마로 이송시킵니다. 결국 사도 바울은 그곳에서 죽게 됩니다. 무죄를 알고도 놓아주지 않는 살인 방관죄를 저지른 것입니다.

결국 아그립바 2세는 폭도들 손에 죽고 이로써 헤롯 왕가도 종지부를 찍게 됩니다. 아무도 끊지 않은 그 가계의 죄악이 여러 세대에 걸쳐 이어졌고, 마침내 그 가문은 멸문에 이르고 맙니다.

선은 선을 낳고, 악은 악을 낳습니다. 그러므로 부모인 내게 있는 뿌리 깊은 악, 내 생활습관과 태도의 뿌리가 되는 죄가 있다면 반드시 내 대에서 끊어야 합니다. 부모의 음란함, 불신, 살인, 방탕, 욕심을 그대로 방치해 놓은 채 자식교육에 성공하기를 바라는 것은 모순 중의 모순입니다. 부모 자신을 살피되 숨겨진 죄악의 모습까지 살펴 돌이키는 것, 그것이 성공적인 자녀교육으로 가는 첫걸음이자 지름길임을 기억합시다.

〈성경적 자녀교육의 원리 2〉 청지기임을 기억하라

올바른 자녀교육을 위한 두 번째 기초 원리는 "부모인 내가 자녀에게 어떤 존재인가?" 하는 부모 정체성 점검입니다. 자기 정체성을 제대로 인식하면 자기 역할을 바르게 수행할 수 있습니다. '한국인'이라는 민족적 정체성이 분명해야 세계 어느 곳을 가더라도 한국인으로서의 자기 역할을 다할 수 있는 것처럼, '부모가 누구인가'에 대한 자기 정체성이 분명해지면 자녀들을 향한 부모 역할의 기준 또한 명확해집니다.

부모란 누구입니까? 성경에서 말씀하는 부모의 정체성은 무엇일까요? 성경에서는 부모를 '청지기'라고 말씀합니다. 하나님을 믿는 성도들은 누구나 하나님의 청지기입니다(눅 12:41-48). 그렇다면 청지기는 어떤 사람입니까? 청지기는 '집사'를 뜻합니다. 주인의 재산과 소유를 맡아 관리하는 권한을 주인에게 위임받은 자 말입니다. 즉, 청지기는 '주인'이 아니라 주인으로부터 그 권한을 '위임받은' 사람입니다. 따라서 청지기는 주인이 자기에게 맡겨 준 재산과 재능은 물론 사람들까지 '주인의 뜻'을 따라 관리하고 다스리는 일을 해야 합니다. '내 뜻'이 아니라 '주인 뜻'을 따라 충성하는 것이 청지기의 정체성이기 때문입니다.

그러면 우리가 사랑하는 자녀들의 주인은 누구입니까? 부모가 아니라 하나님이십니다. 바로 이 점을 분명히 해야 합니다. 하나님께서 자녀들을 지으시고 설계하여 이 땅에 보내셨습니다. 즉, 부모는 자녀들을 잠시 맡아 지도하고 양육하는 하나님의 청지기입니다. 그렇기에 자녀가 아무리 내 자녀라고 해도 내 마음대로 자녀의 삶을 좌지우지해선 안 됩니다. 하나님께선 이 사실을 분명히 하시며 청지기인 부모에게 자녀들을 어떻게 가르쳐야 하는지 주인답게 말씀하십니다.

"마땅히 행할 길을 아이에게 가르치라 그리하면 늙어도 그것을 떠나지 아니하리라"(잠 22:6).

이때 '마땅히 행할 길'의 기준은 '하나님'입니다. 그러므로 그 길은 자녀의 주인이신 하나님의 '교양과 훈계'로 지도받는 길, 하나님께서 그 자녀에게 허락하신 길을 뜻합니다. 다른 길이 아닌 바로 그 '주님의 의도하신 길'을 가도록 할 때 자녀는 가장 복되고 아름다운 길을 갈 수 있음을 이 말씀은 강조하고 있습니다.

그러나 오늘날의 부모들에겐 이런 '청지기 의식'이 없습니다. 내 자녀니까 내 마음과 욕심대로 자녀들의 길을 지도합니다. 전 세계에서 보기 드물게 치열한 교육 과열 양상이 이 나라에 나타나는 이유도 이 때문입니다. 부모의 욕심을 채우기 위한 방편으로 자녀들을 교육하다 보니 시쳇말로 아이들을 '잡습니다.' 내 자녀가 다른 집 자녀에게 뒤지는 게 싫다는 경쟁 심리와 뒤처지면 도태된다는 불안 심리를 안고 자녀들을 교육하기에 자녀도 망가지고 이 나라 교육현실도 기형적으로 나타나는 것입니다.

이 모든 게 청지기 의식의 부재로 나타나는 일들입니다. 그래서 성경에서는 '주인 뜻'을 따라 충성하는 자에게 '착하고 충성된 종'이라 했고, 자기 뜻대로 행한 자에게는 '불의한 종'이라 했습니다.

성경에서 말씀하는 '불의한 청지기'의 모습은 어떠합니까? 그는 주인이 늦게 올 거라 믿고 마음껏 먹고 마시고 취하며, 심지어 다른 종들을 때리기까지 합니다. 여기서 "먹고 마시고 취한다"(눅 12:45)는 것은 자기만족과 욕망을 위해 마음대로 사는 것을 뜻합니다. '부모의 욕심'을 따라 '부모 마음대로' 자녀들을 질책하고 지도하는 모습입니다. 또한 "주인이 늦게 오리라 믿는 것" 역시 자기 마음대로 생각하는 것을 뜻합니다. 주인이 언제 올지 모르는 상황에서, 당연히 늦게 온다고 자기 임의대로 생각했다는 것부터가 '선한 청지기'와는 거리가 먼 모습입니다. 게다가 '불의한 청지기'는 맡겨 준 종들에게 매질하며 학대까지 했으니 이 얼마나 패역한 일입니까? 우리에게도 이와 같은 모습이 없다고 말할 수 있을까요? '교육'이라는 이름으로 자녀들에게 행하는 학대와 매질이 얼마나 많습니까?

부모로서의 청지기 의식, 이것을 회복해야만 하나님께서 이 땅에 우리 자녀들을 보내실 때 의도하셨던 크고 위대한 계획들이 실현될 수 있습니다. 하나님께서는 우리가 측량치 못하는 한없는 능력과 자비를 가진 분이십니다. 따라서 내 뜻대로가 아니라 하나님 뜻대로 자녀들을 지도하고 키울 때에라야 그들이 가장 좋은 길, 위대한 길로 갈 수 있습니다. 하나님은 부모인 나보다 우리 자녀들을 더 잘 아시고 사랑하시며 좋은 길로 이끄실 창조자요 주인이시기 때문입니다.

〈성경적 자녀교육의 원리 3〉 공부해야 보인다

올바른 청지기, 선한 청지기는 그냥 되는 게 아닙니다. 성실해야 합니다. 주인에게 순종해야 합니다. 충성스리워야 힙니다. 그리고 무엇보다 공부해야 합니다.

여기서 공부한다는 것은 주인이 맡겨 준 재물과 재능과 사람들을 어떻게 해야 주인 뜻에 따라 다스리고 섬길 수 있는지에 대해 마음과 뜻을 모아 연구해야 한다는 뜻입니다.

요셉이 보디발의 청지기로서 모든 업무를 관장했을 때, 주인의 마음에 쏙 들도록 일들을 잘 처리했던 이유도 다른 데 있지 않습니다. 물론 하나님의 은혜가 그 위에 머물렀기 때문이기도 하지만, 동시에 요셉은 주인이 맡긴 업무를 처리하기 위해 애굽의 모든 학문과 문화를 열심히 연구하며 공부했을 것입니다. 공부하지 않으면 결코 낯선 애굽 문화 속에서 청지기로서의 역할을 감당할 수 없을 게 뻔하기 때문입니다.

"아는 만큼 보게 된다"는 말을 혹시 들어 보셨습니까? 정조 때의 문장가 유한준(俞漢雋)이 "사랑하면 알게 되고, 알면 보이나니, 그때 보이는 것은 전과 같지 않으리라"라고 말한 것에서 비롯된 이 말은 아는 것의 중요성을 역설합니다. "알아야 비로소 보게 된다"는 지즉위진간(知則爲眞看)의 이 명제 앞에서 우리는 자녀를 알아야만 자녀교육의 비법이 보인다는 사실과 맞닥뜨리게 됩니다.

그러나 과연 얼마나 많은 부모들이 자녀를 연구하고 자녀에 대해 공부하고 있을까요? 새로운 교육정책이나 특목고 진학의 길에 대해서는 열심히 공부하면서도 정작 자녀의 특성, 기질, 상처, 특기, 장래 희망에 대해서는 공부하지 않습니다. 아이 자체에 대해서는 연구하지 않는다는 것입니다.

저는 부부생활세미나를 할 때도 남편은 아내를, 아내는 남편을 연구하는 일이 가장 중요하다고 말합니다. 서로에 대해 박사 논문을 쓸 정도로 공부하고 알아야 한다고 강조합니다. 상대방을 알게 되면 상대방을 사랑하는 법이 보이고, 사랑하게 되면 상대방의 마음을 느끼게 되며, 느끼게 되면 상대방을 어떻게 섬기고 도와줘야 하는지 알게 되기 때문입니다.

자녀교육도 이와 다르지 않습니다. 어떤 문제집이 좋고, 어느 학교 들어가는 것이 좋은지에 대한 공부는 이차적인 문제입니다. 무엇보다 우선되어야 할 것은 자녀가 무엇을 고민하는지, 무엇을 좋아하는지, 왜 그런 습관을 갖게 됐는지, 어떤 말에 상처를 받는지, 어떤 말을 가장 듣고 싶어 하는지, 힘들어 하는 것은 무엇이며, 강한 부분은 무엇이고 약한 부분은 무엇인지에 대한 연구와 고민입니다.

공부를 많이 한 사람은 어떤 어려운 시험문제가 나와도 답을 잘 찾아냅니다. 그러나 공부를 안 하면 안 할수록 모든 시험문제가 어렵게 느껴집니다. 마찬가지로 내 아이에 대해 공부한 부모일수록 아이를 양육하는 과정에서 부딪히는 문제를 잘 풀어 갈 수 있습니다.

그러나 그런 공부를 하지 않은 부모는 오직 '자기 뜻대로' 무식하게 자녀들을 키웁니다. 하나님께서 아이에게 심어 주신 재능과 성품과 기질적 특성을 공부하지 않았기에 바른 방향을 제시해 주지 못합니다. '내가 못다 한 피아니스트의 꿈을 이루기 위해' 운동에 소질 있는 아이에게 피아노를 가르치고, '내가 못다 이룬 의사의 꿈'을 펼치기 위해 주사 맞는 것도 겁내는 아이에게 의학도의 길을 가게 합니다. 아이를 모르기 때문입니다. 어쩌면 알 필요 없다고 생각하는지도 모르겠습니다. 그야말로 내 자녀이기에 내 품 안에서, 내 뜻대로 키우는 것입니다. 그럴 때 우리 아이들은 독수리로 자라지 못하고 병아리로 성장하게 됩니다.

우리 자녀들이 누구입니까? 세계를 가슴에 품고 오대양 육대주를 날아다닐 독수리와 같은 존재입니다. 그런 자녀들을 부모의 품이라는 닭장 속에 가둬 놓은 채 병아리처럼 키운다면 그것은 명백히 '직무유기죄'에 해당합니다. 병아리는 그저 모이를 주면 그 모이 한 번 먹고 하늘 한 번 쳐다보고, 물 한 번 먹고 하늘 한 번 쳐다보면서 닭장 안에 갇혀 맴맴 돕니다. 닭장 안을 뛰쳐나와 창공을 날아야 할 우리 자녀들이 나는 법을 배우지 못할 뿐 아니라 자신의 정체성마저 잊은 채 평생 이런 병아리처럼 유약하게 살아가는 것입니다. 자녀가 어떤 존재인지에 대해 부모가 공부하지 않아 닭장 밖에서 사는 법을 가르쳐 주지 못한 결과입니다.

독수리는 일단 먹이를 발견하는 순간 그 목표물에서 잠시도 시선을 떼지 않고 모든 에너지를 집중해서 강력하게 먹이를 낚아챌 줄 압니다. 마치 우리 자녀들이 정말 하고 싶은 일, 할 수 있는 목표를 찾아내면 모든 시간과 에너지를 그곳에 집중시킬 줄 아는 것과 비슷합니다.

또한 독수리는 환난에 대처하는 방법도 여느 새와는 다릅니다. 다른 새들은 폭풍이 오면 바위틈이나 숲속에 숨지만, 독수리는 폭풍을 정면으로

응시한 채 날개를 적당한 각도로 조절하면서 바람의 힘을 이용해 폭풍이 이는 곳보다 더 높은 곳으로 올라가서는 마침내 폭풍우를 아래로 내려다봅니다. 고난을 다스리며 역이용할 줄 아는 것입니다.

우리 자녀들도 마찬가지입니다. 믿음 안에서 훈련받은 자녀들은 어떤 환난이나 고난이 와도 고난의 파도를 타며 오히려 세상을 이겨 나갑니다. 하나님께서는 이미 자녀들에게 그런 잠재력을 심어 놓으셨습니다.

그럼에도 불구하고 우리는 자녀들을 부모 품 안에  서만 키우려 합니다. 그때그때 먹이를 주며 부모가 쳐 놓은 울타리 안에서 벗어나지 않도록 통제합니다. 소위 '헬리콥터 부모'가 돼서 아이들을 맘대로 조종하려 합니다(over protection). 자녀를 모르기 때문입니다. 자녀에 대해 공부하지 않기 때문입니다.

이와는 정반대로 어떤 부모는 자녀들을 아예 방목해 놓은 채 도무지 돌볼 생각을 안 하는 경우도 있습니다. 그러나 이런 자세야말로 아이를 망치는 위험한 길임을 잊어선 안 됩니다. 훈련되지 않고 야생 적응력이 형성되지 않은 아이를 방목하는 것이야말로 그를 야수의 먹이로 내던져 주는 것이 아니고 무엇이겠습니까? 그렇게 자란 아이들일수록 사회성이 결여될 뿐 아니라 규율의식과 죄의식이 없어서 죄에게 잡아먹힐 확률이 높습니다(under protection).

이와 관련하여 높은뜻숭의교회 김동호 목사님은 이런 말씀을 한 적이 있습니다.

"어느 날 주일학교 아이들에게 물었습니다. '얘들아, 어떻게 하면 천국 가지?' 그러자 아이들이 확신에 차서 대답합니다. '예수 믿으면 천국 가지요.' 그래서 제가 또 물었습니다. '그럼, 어떻게 하면 지옥 가지?' 그러자 한 아이가 당연하다는 듯이 대답합니다. '가만 놔두면 지옥 가죠.'"

맞습니다. 인간은 선으로 가는 데는 느리고, 악으로 가는 데는 빠릅니다. 믿음으로 훈련되지 않으면 우리는 모두 지옥에 갈 수밖에 없는 존재들입니다.

그래서 부모인 우리는 인간이 어떤 존재이며 자녀들에게 어떤 잠재력이 있는지, 자녀들이 어떤 능력을 펼칠 수 있는지 제대로 공부한 후에 교육하며 훈련시켜야 합니다. 공부하지 않으면 내 자녀를 병아리로 키우거나 죄악의 길로 가도록 방치하는 부모가 될 수 있기 때문입니다. 하나님께서는 독수리 같은 자식을 주셨는데 우리는 자꾸 왜 그들을 닭장 속에 가둬 놓고 병아리로 키워 통닭 신세가 되게 하려는 겁니까?

이제 자녀에 대한 공부를 시작하기 바랍니다. 그 공부야말로 이 세상 어떤 공부보다 가치 있는 공부가 될 것입니다. 부모로서 우리가 자녀들에 대해 공부하는 만큼 자녀들을 이끌 놀라운 교육의 길이 우리 앞에 펼쳐질 것입니다.

Park's Tip

1 진정한 자녀교육이 이루어지려면 자녀를 교육하기 전에 부모 자신을 먼저 교육해야 합니다.

2 성경에서만 유독 강조하는 자녀교육의 첫걸음이자 부모교육 의 핵심은 '죄의 뿌리'를 보고 그것을 잘라 내는 일입니다.

3 부모는 자녀들을 잠시 맡아 지도하고 양육하는 하나님의 청지 기입니다.

4 내 아이가 어떤 생각과 아픔과 특성을 가지고 있는지 부모는 진지하게 고민하고 공부해야 합니다.

자녀교육의 일곱 가지 핵심부터 짚자

②

지식 위주의 교육이 아닌 살아 있는 교육, 균형 잡힌 교육이 이뤄질 때,
독수리와 같이 힘차게 도약할 수 있습니다.

편식교육을 버리자

한국인 부모들은 자녀들을 성적 우수자로 만드는 데 탁월한 재주가 있
습니다. 그들은 자녀들을 미국에서도 단연 돋보이도록 만들었습니다. 미국
중고등학교에서 상위권을 차지하는 상당수 학생이 한국인일 정도입니다.

그런데 이상한 것은 그렇게 두각을 나타내던 우리의 자녀들이 대학에만
들어가면 날개를 펴지 못한다는 점입니다. 강영우 박사의 조사 결과에 따르
면 하버드대학의 경우에 한국인의 70퍼센트 이상이 중하위권에 머물고, 30
퍼센트 정도는 바닥에 머문다고 합니다. 상위권은 거의 없다는 뜻입니다.

왜 이런 결과가 나왔을까요? 한국인들의 두뇌가 세계인들에 비해 뒤지기 때문일까요? 아닙니다. 한국인들의 명석한 두뇌는 이미 세계적으로도 입증된 바 있습니다.

그렇다면 머리도 좋고 노력도 하는데 왜 대학 입학 후부터는 우리 자녀들이 경쟁에서 밀려나는 것일까요? 아니, 단순히 대학 사회의 경쟁을 넘어, 대학 졸업 후 왜 주류 사회로의 진입에 어려움을 느껴야 할까요?

많은 사람들은 그 이유를 한국인의 '골방 수재 교육' 때문이라고 분석합니다. 이른바 골방에서 열심히 공부시켜서 성적 우수자로 만드는 교육 말입니다. 명문 대학 입학만을 유일한 인생의 목표로 삼고 자녀들을 교육하다 보니 부모들은 자녀들의 모든 취미 활동은 물론, 심지어 교회생활까지도 희생시켜 버렸습니다. 모든 시간과 에너지를 오로지 공부에만 집중시킨 것입니다.

그러나 그렇게 공부해서 대학에 들어가고 나면 그들은 그 이상의 목표를 잃어버린 채 표류하고 맙니다. '이제부터가 시작'인 대학생활에서 타민족 아이들이 밤 새워 전공과목을 공부할 동안, 한국인들은 '대학만 가면 모든 게 해결될 듯' 공부하며 달려왔기에 이제부터 본격적으로 시작해야 할 전공 공부에 매진할 여력과 꿈을 사실상 상실하고 마는 것입니다.

게다가 골방 출신의 수재들은 대학에 들어온 이후 타인과 잘 어울리지 못하는 어려움을 겪습니다. 오늘날의 시회는 인적 네트워크로 언결되어 있어서 아무리 뛰어난 전문가라도 관계망을 통해서라야 그 능력을 발휘하게 되어 있습니다. 서로 다른 사람들의 서로 다른 능력이 '관계'를 통해 만나 제3의 능력을 창출해 내는 세상입니다. 따라서 관계 형성 능력이 뒤떨어지는 독불장군은 자신의 존재를 발휘하지도, 인정받지도 못합니다.

이런 이유들 때문에, 골방에서 자라난 우리의 수재들은 대학 입학 이후부터는 날개가 꺾인 새마냥 주저앉습니다.

균형 잡힌 교육이 그래서 중요합니다. 음식도 편식하며 먹으면 나중에 영양 불균형이 와서 건강을 잃어버리듯, 우리 자녀들도 어려서부터 지식 위주의 교육이 아니라 균형 잡힌 교육을 받고 자라야 창공을 날 시점에 이르러 힘차게 도약합니다. 인삼이 몸에 좋다고 매일 아이들에게 인삼만 먹인다고 생각해 보십시오. 그 좋다는 인삼도 나중엔 독이 되고 맙니다. 그동안의 골방 수재 교육에서도 우리 자녀들에게 단편적인 '지식' 습득만이 실력자가 갖춰야 할 전부인 양 가르쳐 왔습니다. 그러다 보니 중고등학교 때까지 지력(知力)이 뒤쳐진 자녀들은 아예 실력 없는 사람으로 취급받아 뻗어 나갈 기회조차 갖지 못했고, 지력이 뛰어난 자녀들이라 해도 정작 학문을 깊이 연구해야 할 시점에 이르러서는 허방을 짚듯 수렁으로 떨어지는 경우가 많았습니다. 지식 위주의 교육이 자녀들에게 독이 되어버리고 만 것입니다.

그렇다면 어떻게 자녀들을 교육해야 할까요? 세계를 날아다닐 독수리 같은 존재로 우리 아이들을 키우려면 어떤 실력을 어떻게 심어 줘야 할까요?

그 답을 알아 가기 위해 실력자가 되기 위한 조건 일곱 가지에 대해 살펴보도록 하겠습니다. 물론 이 모든 실력을 완벽하게 갖출 수는 없지만, 이 내용 이해를 바탕으로 자녀들을 교육할 때 우리에게는 자녀의 재능을 발견하고 계발해 줄 눈과, 자녀의 약함을 보완해 줄 지혜가 생기리라 믿습니다.

실력자의 기초, 지력

실력에 관해 부모들이 가장 많이 하는 말 중 하나가 이겁니다.

"와! 그 집 아들, 알고 봤더니 학교에서 1등한대. 실력자였어."

"그 집 딸, 일류대학에 합격했더라. 실력 좋은 애였어."

그러나 이때의 정확한 표현은 '실력(實力)이 좋다'가 아니라 '지력(知力)이 좋다'입니다. 학교 공부 잘하는 것은 지력이지 실력이라고 말할 수 없습니다. 실력이란 좀 더 포괄적이고 총체적인 의미를 가리킵니다. 즉, 공부를 잘한다고 해서 그 자체를 놓고 실력자라 말할 수 없고, 공부를 좀 못한다고 해서 실력자가 아니라고도 말할 수 없다는 것입니다. 실력자의 정확한 의미를 따져 볼 때, 지력은 7분의 1정도의 영역에 해당될 뿐입니다.

겨우 그 정도냐고요? 그렇습니다. 겨우 그 정도입니다. 하지만 겨우 그 정도의 영역밖에 안 되는 지력이라 해도 지력을 키우는 일은 매우 중요합니다. 결코 무시할 수 없습니다. 지력은 진정한 실력자가 되기 위한 기초와도 같은 항목이기 때문입니다.

이를 이해하기 위해 '진정한 신앙인이 되는 길'을 생각해 보면 됩니다. 우리가 기도하고 말씀 보고 헌신하며 이웃 사랑을 실천하는 그 모든 신앙생활의 기본은 '하나님을 아는 것'입니다. 하나님이 어떤 분인지를 제대로 알아야 기도할 수 있고, 이웃 사랑을 실천할 수 있습니다. 하나님을 아는 지식이 풍성할수록 우리는 하나님을 더 사랑하게 되고, 하나님의 사랑 안에서 풍성한 신앙생활을 누리게 됩니다. 그래서 성경은 "그(예수)를 아는 지식에서 자라 가라"(벧후 3:18)고 말씀합니다. 심지어는 "내 백성이 지식이 없으므로 망하는도다"(호 4:6)라고도 합니다. 지식이 신앙생활에서도 그만큼 중요하다는 뜻입니다.

그렇다면 그러한 지식이 어떻게 습득되는지부터 알아야 합니다. 하나님을 아는 지식은 성경을 달달 외우며 연구하는 것만으로는 얻을 수 없습니다. 기도생활이나 성도와의 교제와 같은 실생활을 통한 습득이 동반되어야 합니다. 이를테면, 형제자매의 헌신되고 신실한 모습을 보면서 '아, 하나님이 이런 분이셨구나'라고 깊이 깨달아야 하는 것입니다.

우리 자녀들이 습득해야 하는 지식도 이와 같습니다. 학교 공부를 성실하게 따라가는 것은 지식 습득의 좋은 방편이지만, 단지 그 지식 습득만을 전부라고 믿으면 자녀들을 골방 수재로만 키우는 함정에 빠지고 맙니다.

우리의 자녀들은 이제 전방위적으로 지식을 습득해야 합니다. 예를 들어 골프 선수 지망생이 있다고 쳐 봅시다. 그 아이가 골프 선수로 성공하려면 반드시 골프에 대한 지식을 습득해야 합니다. 책을 펴서 골프의 역사, 골프 선수의 자질, 골프 규칙 등을 열심히 공부해야 합니다. 그리고 거기서 더 나아가 골프장에서 열심히 연습해야 합니다. 책에서 배운 이론을 적용해 봄으로써 실제와의 간격을 줄이고, 그동안 터득했던 골프 지식을 몸으로도 터득할 기회를 가져야 한다는 것입니다. 그러다 보면 그 선수는 자신만의 새로운 골프 기술까지도 개발하게 됩니다. 책으로 익힌 지식에다 경기 중이나 연습 중에 몸으로 터득한 감각이 더해져 새로운 골프 기술의 지식까지도 터득하게 됩니다.

경영자 수업도 마찬가지입니다. 좋은 CEO가 되려면 명문 대학의 경영학과를 졸업하는 것만으로는 부족합니다. 그것으로는 온전한 경영 지식을 터득하기 어렵습니다. 대학에서 공부하는 경영 이론에다 현장에서 땀 흘려 일하는 과정을 통해 "경영이란 이런 것이다"라는 종합적인 지식을 얻을 때 비로소 경영자로서 갖춰야 할 공부를 끝냈다고 말할 수 있습니다.

우리가 잘 아는 빌 게이츠는 게임을 하기 위해 열세 살 때부터 직접 프로그램을 짜는 등 컴퓨터에 괸힌 탁월한 지력을 보였냐고 합니다. 그러다 모두가 선망하는 하버드대학에 입학했으나 머잖아 개인용 컴퓨터가 모든 사무실과 가정에 자리 잡게 될 것을 예견하고, 입학 2년 만에 학교를 그만두고는 친구 폴 앨런과 함께 마이크로소프트사를 설립합니다. 만약 이때 빌 게이츠의 아버지가 "경영자가 되려거든 경영 수업을 다 마쳐야 하지 않겠느냐"며 휴학을 반대했으면 오늘날의 빌 게이츠는 나오지 않았을 겁니다. 그 부모가 학교 과정의 지식만을 전부로 여겼다면 컴퓨터의 황제 빌 게이츠는 탄생하지 않았을 수도 있다는 말씀입니다.

빌 게이츠의 아버지는 아들의 의지를 확인한 후 그의 계획을 흔쾌히 허락했습니다. 게다가 부자 아빠였음에도 불구하고 사업 자금도 전혀 대 주지 않았습니다. 컴퓨터에 대한 빌 게이츠의 남다른 지력과 시대를 읽는 통찰력을 믿었을 뿐더러, 사업자금 조달부터 시작되는 경영 현실을 아들이 처음부터 몸소 깨달아 알기 원했기 때문입니다.

빌 게이츠 아버지의 이와 같은 교육 방침은 아들의 경영 지식을 키워 주는 원동력이 되었고, 남보다 한 발 앞서 IT 산업에 뛰어들도록 한 기반이 되었습니다. 컴퓨터에 관한 아들의 한 발 앞선 지식을 경영 능력의 지식으로까지 확장시켜 준 사람이 그 부모였던 것입니다.

우리 역시 이런 부모가 되어야 합니다. 교과서 지식뿐 아니라 삶에서 얻는 지식, 현장에서 얻는 지식을 더하도록 자녀들에게 동기부여해 주는 사람, 그 사람이 바로 우리여야 합니다. 지식 그 자체를 우상으로 삼지 않되, 깊이 있는 지식을 공부할 기반을 마련해 주는 사람이 바로 부모입니다.

실력자의 뼈대, 체력

실력자로 가는 두 번째 항목은 '체력'(體力)입니다. 단적으로 말해 아무리 우리 자녀가 열심히 지식을 습득해서 일류 대학에 들어간다 해도 건강을 잃어버린다면 더 이상 아무것도 할 수 없는 게 현실입니다. 피아노의 천재, 미술의 천재라 해도 음악을 연주하고 그림을 그리는 일종의 노동과도 같은 그 일을 감당할 체력이 뒷받침되지 않으면 꿈도 펼칠 수가 없습니다.

체력은, 실력이라는 건축물로 치면 일종의 뼈대와도 같습니다. 자녀들의 꿈을 건축하는 든든한 기둥인 셈입니다. 제가 육십이 넘은 나이에도 세계를 누비고 다니면서도 시차 적응의 어려움을 거의 느끼지 않는 것은 '체력' 덕분입니다. 아무리 제가 갈렙처럼 살고 싶다는 꿈을 안고 몇 십년 동안 풀타임 사역자로서의 준비를 했다 해도 그와 같은 체력이 없었다면 이 사역을 감당할 수 없었을 것입니다. 이번 주엔 유럽으로, 다음 주엔 중국으로, 그 다음 주엔 한국으로 가는 이런 일정들을 감당할 수 있는 힘은 바로 체력에서 나오는 것입니다.

저는 미국에 사는 동안 미국인 부모들이 자녀들에게 체력 향상을 위해 훈련시키는 모습을 보고 깜짝 놀랄 만한 도전을 받았습니다. 덕분에 우리 아이들도 고등학교를 졸업할 때까지 열심히 체력을 기우며 사랄 수 있었습니다. 우리 아이들은 심지어 고3 때조차도 운동을 거르지 않았습니다.

아침 8시에 공부를 시작하여 오후 2시 30분이면 공부가 끝나는데, 그 오후 시간 내내 아이들은 미국인 친구들과 어울려 농구며 배구, 축구, 야구, 골프, 수영 등의 운동을 하면서 시간을 보냅니다. 자녀들에게 체력 훈련에 집중하며 자라도록 권장하는 미국 사회의 공교육 시스템 덕분에 우리 아이들도 튼튼한 체력을 키울 수 있었습니다.

그렇게 자랐기 때문에 미국 아이들은 체력 면에서 우리보다 월등합니다. 그 좋은 체력은 대학 입학 후 치열한 공부 싸움에서 뒤지지 않을 내공으로 작용합니다. 전 세계 인재가 모였다는 하버드대학 안의 사정만 살펴봐도 미국인들은 이틀, 삼 일 밤을 새워 가며 공부해도 끄떡없다고 합니다. 그러나 한국 학생들은 하루만 밤을 새도 비실거립니다. 고등학교 때까지 두각을 나타내던 아이들이 결국은 체력 싸움에서 이기지 못해 뒤쳐지는 것입니다.

골방 수재 교육을 하는 한국 부모들은 한참 체력적 내공을 키워야 할 청소년 시기에 우리 자녀들을 골방에 가둬 놓습니다. 학교 공부로 지친 아이들을 새벽 1시, 2시까지 책상에만 묶어 둡니다. 그러다 보니 살은 찌는데 호박 부대처럼 힘이 없습니다. 결정적인 순간에 결정적인 능력을 발휘할 '체력'을 키워 주지 못하는 것입니다.

저희 때만 해도 어린 시절에 뛰어놀 기회가 많았습니다. 틈만 나면 동네 아이들과 어울려 술래잡기도 하고, 산으로 바다로 뛰어다녔습니다. 아무리 공부벌레였다고 해도 중고등학교 때는 등하교 길을 걸어 다니면서

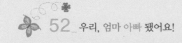

걷기 운동도 꾸준히 할 수 있었습니다. 저는 개인적으로 중학교 때는 탁구 선수로, 대학교 때는 농구 선수로 뛰기도 했습니다. 지금도 시간 날 때면 아들과 함께 골프를 칩니다. 그렇게 체력이 키워지다 보니 15년 이상 전 세계를 돌아다녀도 지치지 않습니다. 타고난 건강도 건강이지만, 무엇보다 몇 십 년 운동으로 단련된 체력이 있기 때문입니다. 이는 또한 옛날부터 여호수아서 14장 10-12절에 나타난 85세의 청년(?) 갈렙을 체력에 대한 모델로 삼았기에 가능한 일이었습니다.

그런데 이런 얘기를 하면 한국 부모들은 또 인위적으로 자녀들에게 운동을 시키려 합니다. 체력 훈련 또한 사교육으로 보강하려는 태도를 보입니다.

"너, 체력이 국력이란 말 알지? 오늘부터 태권도 학원 다녀!"

안 그래도 하루에 서너 개씩 감당해야 하는 학원생활에 우리 자녀들이 초죽음이 될 지경인데, 거기에다 태권도 학원까지 더해지니 즐거운 마음으로 학원을 다닐 리 만무합니다.

어떤 부모들은 자녀의 체력을 길러 주기 위해 운동하는 시간을 따로 정해 감시까지 합니다.

"지금부터 30분은 줄넘기 할 시간이다."

마치 숙제를 시키듯 운동을 시키는 모습입니다. 그러면 아이는 마지못해 그 30분을 채우면서 '휴, 이 지겨운 운동…' 이란 마음을 절로 갖습니다.

아무리 좋은 음식도 억지로 먹으면 탈이 나고 맙니다. 체력 강화 훈련도 마찬가지입니다. 흔히 하는 말로 "천부적인 사람은 노력하는 사람을 따라잡지 못하고, 노력하는 사람은 즐기는 사람을 따라잡지 못한다"는 말이 있습니다. 뭐든지 즐기면서 할 때 그 효과가 극대화되어 나타납니다. 운동 역시 즐길 수 없다면 체력을 강화시키는 게 아니라 체력을 약화시킵니다. 운동이 또 하나의 노동이나 공부가 되어선 안 된다는 뜻입니다.

저는 지금도 아들과 통화하다 가끔 이런 얘기를 합니다.

"내일은 새벽에 골프 좀 칠까?"

그러면 아들도 흔쾌히 동의합니다. 아버지와 함께 아침 운동을 하며 정답게 대화를 나누는 그 묘미를 어린 시절부터 체험하며 자랐기 때문입니다. 아빠와 야구하며 놀고, 엄마와 배드민턴 치면서 노는 그 재미, 그 즐거움을 우리 자녀들에게 심어 주면, 자녀들은 자연스럽게 운동을 통해 자신의 체력을 단련시켜 나가게 됩니다. 무엇보다 즐거움으로 운동할 때 우리 몸에서 솟구치는 엔돌핀 자체가 우리 자녀들의 체력을 튼튼하게 만들어 주는 보약이 아니고 무엇이겠습니까?

한국에 왔다가 만난 어떤 학부모는 자녀와 함께 수영하러 다니는 즐거움에 푹 빠져 있었습니다. "다른 학원 다니면서 수영장 다닐 시간이 있냐"고 묻는 제 질문에 그 학부모는 이렇게 대답했습니다.

"시간이요? 저희 애는요 수영장 다니는 거 말고 어디 다니는 데가 없어요. 그러니 시간이 많을 수밖에요. 하하."

이것도 시키고 저것도 시키며 아이의 생명력을 서서히 사라지게 만드

는 교육 방식에서 과감히 벗어난 그 부모의 모습에서 자녀의 밝은 미래가
미리 보이는 것 같았습니다.

실력자의 방패, 정신력

부모인 우리가 자녀들에게 심어 줘야 할 또 하나의 중요한 실력은 '정
신력'(精神力)입니다.

정신력은 인생의 고난과 역경이 찾아올 때 이겨 낼 수 있는 내적 힘을
말합니다. "엄마, 도와주세요. 나 어떡해요?"라며 문제를 부모에게 떠넘
기는 게 아니라 '올 것이 왔다. 내가 이것을 이겨 내야지'라며 고난의 파
도를 타는 능력입니다.

사람은 누구나 고난을 만납니다. 우리 자녀들 또한 예외가 아닙니다.
아무리 부모가 최선의 방패막이가 되어 준다 해도 자녀 스스로의 힘으로
극복해야 하는 고난과 역경이 수도 없이 찾아옵니다. 그럴 가능성은 100
퍼센트입니다. 그것이 인생입니다.

따라서 부모가 자녀에게 꼭 남겨 줘야 할 중요한 유산은 쓰면 없어져
버릴 유형의 물질이 아니라 아무리 써도 사라지지 않을 무형의 '정신력'
입니다. 정신력이 강한 사람일수록 고난을 축복으로 바꿀 가능성이 크지
만, 정신력이 약하면 아무리 많은 유산을 물려받았다 해도 작은 고난 앞

에서 그 모든 것을 다 잃어버리게 됩니다.

저는 미국 의사 초년생인 레지던트 시절, 부모님으로부터 받은 신앙 교육의 위대함을 몸으로 체험한 적이 있습니다. 당시 저는 영어에 서툰 레지던트 의사로서, 미국 병원생활에 여러 모로 어려움을 겪고 있었습니다. 무엇보다 수술실에서의 고충은 말로 다 할 수 없었습니다. 마스크를 포함한 모든 수술 장비를 다 갖춘 채 서로 눈만 쳐다보며 의학적인 얘기를 영어로 나누었으니 못 알아듣는 것은 당연하기도 했습니다. 하지만 상대방은 그런 저를 당연하게 받아들이지 않았기에 항상 저는 눈치를 살펴가며 중요한 단어를 포착하고는 적당히 얼버무리곤 했습니다. 그나마 마취과 의사였기에 망정이지 만약 외과 의사였다면 말을 잘못 알아듣고 엄청난 실수를 했을지도 모릅니다. 그러던 어느 날, 한 환자를 마취하던 마취과 교수가 제게 질문을 던지며 대답을 요구해 왔습니다.

"···"

분명히 제게 묻는 질문인 줄은 알겠는데 저는 한마디도 대답할 수가 없었습니다. 도대체 뭘 물어 보는 것인지 알아들을 수가 없었습니다. 할 수 없이 저는 몇 번이나 "다시 얘기해 달라"고 부탁했습니다. 그러자 나중엔 질문했던 의사가 너무 답답한 나머지 벌컥 화를 내면서 이렇게 말을 합니다.

"꼭 벽에다 대고 얘기하는 거 같잖아!"

앞서 했던 질문의 내용은 잘 안 들렸는데 희한하게도 그 말은 확실하게 알아듣겠더군요. 이어서 그는 이렇게 말했습니다.

"나가! 가서 밥이나 먹어!"

1974년 레지던트 시절, 그렇게 수술실에서 쫓겨난 저는 어찌나 참담하고 수치스러운지 그 마음을 말로 다 할 수 없었습니다. 때마침 배가 고파 왔습니다. 터벅터벅 걸어 식당엘 찾아갔습니다. 교수님 말대로 '가서 밥이나' 먹기 위함이었습니다.

하지만 미국 식당에 있는 음식은 한국인의 배를 따뜻하게 채워 줄 김치찌개나 된장찌개가 아니었습니다. 딱딱한 빵 종류가 전부였습니다. 할 수 없이 그 빵을 제 입에 쑤셔 넣고 꾸역꾸역 먹기 시작했습니다. 동시에 제 눈에선 눈물이 주르르 흘러내리고, 마음속에서는 절망과 낙담의 탄식이 쏟아져 나왔습니다.

'내가 왜 미국까지 와서 이 고생을 하지? 세브란스 병원에 있을 때는 비뇨기과에서도 남아 달라, 이비인후과에서도 와 달라며 나를 붙잡았는데, 내가 왜 그 모든 걸 거절하고 영어도 안 되는 미국에 와서 이런 대접을 받으며 이 고생 하고 있을까?'

정말 상황을 돌아보니 위기의식이 걷잡을 수 없이 밀려들었습니다. 주변에 아는 사람도 없고, 친구도 없으며, 더군다나 돈도 없는 가난한 초보 의사, 그 사람이 바로 저였습니다. 말까지 통하지 않으니 도대체 수련의 과정을 잘 마칠 수나 있을까 걱정되었습니다. 자칫 실패한 수련의로 남세 되면 어쩌나 하는 염려도 찾아왔습니다.

그런데 그때 제 속에서 하나님의 음성이 들려왔습니다.

"내 영혼아 네가 어찌하여 낙심하며 어찌하여 내 속에서 불안해 하는가 너는 하나님께 소망을 두라 그가 나타나 도우심으로 말미암아 내가 여전히 찬송하리로다"(시 42:5).

아, 이 말씀이 내면에서부터 들려오기 시작하는데, 그때의 감동과 원기 충천함을 어떻게 표현할 수 있겠습니까? 마치 살을 에는 추위 속을 걷다가 갑자기 겨울 햇살이 따뜻하게 제 몸을 감싸는 것과 같은 기분이었습니다. 그러자 마음속 절망이 눈 녹듯 사라지면서 제 안에서는 도전 정신이 솟구쳐 올랐습니다.

'아, 그렇지. 하나님께서 나와 동행하시며 도와주시는데 내가 왜 낙망하지? 하나님이 나의 힘이신데, 내가 다시 일어나지 못할 이유가 뭐가 있어?'

스스로에게 그런 고백을 하고 나자 이번엔 배짱과 여유마저 생겨났습니다.

'한국인인 내가 영어를 못하는 거나, 자기네들이 한국어를 못하는 거나 똑같잖아. 근데 왜 나만 혼자 기죽어서 이 난린가? 저나 나나 외국어를 못하는 건 똑같은데 말야.'

그렇게 배짱이 생기자 그때부터 저는 소위 '영어 울렁증'을 극복해 갈 수 있었습니다. 그 전까지는 문법을 따져 가며 말하려니까 더 영어가 안 되었는데, 이제는 문법을 무시한 채 말만 통하면 된다는 생각으로 무조건 들이대야겠다는 생각이 들었습니다. 예를 들어 "너 학교에 가!"를 영어로 하면 "You go to school"이지만 저는 한국 문법 그대로 "You school go" 하는 식으로 되는 대로 갖다 붙였습니다.

그런데 놀라운 일이 벌어졌습니다. 제가 한국 문법으로 영어를 자신 있게 말할수록 미국인들은 그 전보다 더 제 영어를 잘 알아들을 뿐 아니라, 저를 친구로 여기며 좋아했습니다. 전에 없던 '스마일 맨'이란 별명까지 붙여 주며 병원 가족들은 모두들 저를 아끼고 사랑해 주었습니다. 저는 점점 더 영어를 정복해 갈 수 있었습니다.

저는 이때의 일들을 돌아볼 때마다 부모님께서 제게 심어 주신 정신력에 새삼 감사드리게 됩니다. 부모님은 정신력 중에서도 가장 강인한 정신력의 근간인 믿음을 제게 심어 주심으로써, 결정적으로 어려울 때마다 '최선의 길'을 선택하도록 이끄셨습니다.

☕ ☕ "어떤 어려운 일이 있어도 하나님께서 너와 함께 하신단다. 하나님은 너의 하나님이시다."

부모님께서 심어 주신 이 믿음이야말로 인생의 위기를 관리하는 능력의 해법이 되었습니다.

어떤 사람에게든 죽고 싶을 만큼의 참담한 위기는 반드시 찾아오게 되어 있습니다. 그러므로 부모인 우리는 자녀들에게 그 위기관리 능력을 어려서부터 길러 줘야 합니다. 소위 물고기를 잡아 주는 게 아니라 물고기 잡는 법을 가르쳐 줘야 하는 것입니다.

그러나 많은 부모들은 그런 능력을 키워 주는 일에 별 관심을 보이지 않습니다. 자녀가 우상이 된 세상이다 보니 위기관리 능력의 첫 단계인 힘든 일, 어려운 일, 거친 일을 자녀들에게 시킬 생각도 하지 않습니다.

"내가 해 주면 되지. 우리 애가 그거 할 시간이 어디 있어?"

골방에 앉혀 공부시키기 바쁘기 때문에 아이들에게 청소하고 설거지하고 운동화 빨고 심부름하는 일도 전혀 시키지 않습니다. 심지어 어떤 부모들은 숙제까지도 대신해 줍니다. 크리스천이라는 부모조차도 자녀들이 고등학교에 들어가면 주일성수 교육을 시키지 않습니다. "주일예배는 나중에 드려도 돼. 어서 학원 가서 공부해야지"라며 아이의 등을 떠밉니다. 그러다 보니 어려운 일이 찾아오면 아이들은 엄마부터 찾습니다.

"엄마, 어떻게 해야 해? 엄마가 해결해 줘."

결혼 후에도 부부 갈등이 찾아오면 아들이든 딸이든 엄마에게 의지합니다. 가정경제가 무너질 때도 부모에게 손 내밉니다. 엄마 아빠를 해결사로 착각하는 것입니다.

이는 잘못된 한국식 교육에서 비롯된 것들입니다. 선생님이 불러 주는 대로 받아 적고 외우던 주입식 교육, 엄마가 빨리빨리 해치우고 도와주던 숙제 교육에서부터 우리 자녀들은 문제를 스스로 풀어 갈 능력을 상실해 버렸습니다.

자녀에게 정신력을 키워 주고 싶다면 어려서부터 혼자 연구하고 풀어 가는 교육 방법을 시행해야 합니다. 그것이 위기관리 능력의 첫 단계입니다.

제 딸아이가 초등학교 3학년 때의 일입니다. 어느 날 이 아이가 학교에 다녀왔는데 노트에 '아리조나'라는 단어와 전화번호 하나가 적혀 있었습니다. 무슨 뜻입니까? 아리조나 주에 관해 조사 연구해 오는 깃이 아이가 해야 할 숙제였고, 그 숙제를 도와줄 기관의 전화번호가 바로 노트에 적혀 있는 번호였습니다. 당시는 인터넷 문화가 없던 터라 그런 숙제는 청년들이 하기에도 힘든 숙제였습니다. 그런데 숙제를 해 나가는 초등학교 3학년짜리 딸아이의 모습이 참 대견했습니다. 혼자 그곳에 전화를 걸더니 차분하게 자신의 의견을 말하는 것이었습니다.

"제가 아리조나 주에 대해 리포트를 써야 합니다. 아리조나의 위치나 기후, 특산물, 명승지, 수도, 인구 등 여러 정보를 저희 집 주소로 보내 주실 수 있을까요?"

며칠이 지나자 그 기관으로부터 딸아이가 요청한 자료가 소포로 정확하게 배달되어 왔습니다. 스스로 연구하는 공교육이 이루어지도록 모든 기관들이 얼마나 긴밀하게 협력하는지를 보여 주지 않습니까? 딸아이는 그 자료를 받자마자 자료를 디 분석하더니 아리조나의 지도부터 시삭해 명승지 그림들을 붙여 놓고 일명 '아리조나'에 관한 책자를 만들었습니다. 그때 저와 아내는 그 숙제를 일체 도와주지 않았습니다. 아이 역시 부모로부터 도움 받을 생각조차 하지 않았습니다. 그 숙제는 당연히 아이 혼자 해야 하는 것으로 받아들였습니다. 그리고 자랑스럽게 A⁺를 받아 왔습니다.

많은 부모들은 리포트 하나를 위해 몇 날 며칠 매달리는 것보다 그 시간에 영어와 피아노와 미술을 배우는 게 더 낫다고 생각할지도 모릅니다. 그러나 피아노를 배우지 않아도 리포트 숙제 하나를 스스로 해 나가는 그 몇날 며칠이야말로 아이의 내공을 쌓아 가는 시간들임을 기억해야 합니다. 혼자 견디고 혼자 풀어 가고 혼자 연구하면서 우리 아이들은 인생의 겨울을 견디고 이겨 낼 정신력을 갖춰 나갑니다.

위기관리 능력이란 무슨 엄청난 게 아닙니다.

'그래, 다시 해보자. 견뎌 보자. 기다려 보자. 이겨 낼 수 있다! 시도해 보자!'

다시 도전할 수 있는 정신, 긍정적인 결말을 소망할 수 있는 마음의 힘, 바로 그것이 위기관리 능력입니다. 어린 시절에 문제를 스스로 풀어 가며 성취를 느꼈던 사람들은 그런 위기관리 능력이 탁월할 수밖에 없습니다. 문제라는 것은 위축되라고 주어지는 게 아니라 성실하게 풀어 가면 얼마든지 풀어 갈 수 있는 것임을 어려서부터 터득하기 때문입니다.

이를 위해 우리는 자녀들에게 믿음을 심어 줘야 합니다. 살아 계신 하나님을 만나도록 자녀들을 이끌어야 합니다. 그러면 자녀는 반드시 하나님을 붙잡고 승리하는 삶을 삽니다.

이스라엘의 위대한 왕 다윗을 보십시오. 목동 시절부터 하나님과 동행하며 컸던 그는 이스라엘의 영웅이 된 뒤에도 수많은 고난을 만납니다. 그는 무려 10년 가까이 사울의 시기를 받아 광야로 쫓겨 다니는 생활을 합니다. 우리 중 누가 이런 생활을 감당할 수 있겠습니까? 그런데 그는 이렇게 목숨이 위태로운 생활 속에서 그 아름답다는 시편의 고백들을 쏟아 냅니다. 하나님을 간절히 찾고 찾으며 하나님 안에서 시련을 이겨 나갑니다. 그리고 결국 이스라엘의 위대한 왕으로 세워집니다. 그래서 우리 부부는 자녀들을 위해 기도할 때마다 "이 아이들을 위대한 왕 다윗처럼, 위대한 선지자 사무엘처럼 사용하여 달라"고 합니다.

아이들을 온실 속 화초처럼 키우는 일을 멈추지 않으면 그들은 결코 위대한 신앙의 인물들처럼 자랄 수가 없습니다. 사무엘의 어머니 한나를 보십시오. 그는 사무엘이 젖을 떼기 시작할 무렵에 그를 하나님께 바침으로 위대한 선지자로 성장시킵니다. 우리 역시 한나처럼 하나님께 내 자녀를 바치는 믿음, 맡기는 믿음으로 자녀들을 키워야 합니다. 어차피 우리 아이들은 하나님의 것이요, 하나님의 자녀이기 때문입니다. 부모인 우리는 평생 자녀의 바람막이 역할을 할 수 없는 존재입니다. 언젠가는 찢어지고 사라지게 되어 있는 비닐하우스의 보호 없이도 한겨울을 잘 날 수 있는 든든한 나무의 내성을 자녀들에게 심어 주어야만 합니다.

사람은 누구나 삼킬 듯 달려드는 파도를 보면 두려움을 느낍니다. 그러나 파도를 잘 탈 실력만 있으면 파도가 높을수록 파도타기가 즐겁다고 합니다. 파도 타는 사람들을 보십시오. 그들은 파도가 높지 않은 곳에선 아예 놀지도 않습니다. 하와이에 가면 집채만한 파도가 밀려오는 곳이 있는데 그곳이야말로 파도타기를 즐기는 사람들이 즐겨 찾는 명소라고 합니다.

저는 우리 자녀들이 이와 같은 태도로 살아가면 좋겠습니다. 고난을 두려워하다가 파도 속에 파묻히는 인생이 아니라, 고난을 하나님 앞에서 스스로 풀어 가고, 더 나아가 그것을 즐길 수 있는 인생이 된다면 오대양 육대주를 누비고 다닐 충분한 실력자가 되지 않겠습니까? 문제를 하나님 안에서 스스로 풀어 가는 능력, 그 강인한 정신력을 지금부터 심어 주는 사람이 바로 부모입니다.

실력자의 토양, 정서력

자녀에게 심어 줘야 할 또 하나의 실력이 있다면 그것은 '정서력'(情緖力)입니다.

정서력을 한마디로 표현한다면 '마음의 힘', '마음 상태'를 말합니다. 좀 더 자세히 하면 '자신뿐 아니라 타인의 기분과 정서를 모니터링하고 조절할 줄 아는 능력'이라고 할 수 있습니다. 앞서 말한 정신력이 이성에 해당한다면, 정서력은 감성, 즉 마음의 실력에 해당합니다.

정서력이 좋은 사람은 자신의 감정 상태를 읽고 조절하는 능력이 뛰어나므로 자신을 풍부하게 표현할 줄도 알고 적당히 절제할 줄도 압니다. 또한 타인의 감정을 잘 읽고 공감해 줌으로써 좋은 인간관계의 모습을 보여 줍니다. 마음의 여유가 흘러넘치기에 타인을 칭찬하고 격려하는 데에도 언제나 넉넉합니다.

그러나 정서력이 좋지 못하면 자신과 타인의 감정에 끌려 다니는 인생을 살아갑니다. 열등감, 분노, 거절감 등 마음속의 해결되지 않은 수많은 상처의 감정에 휩싸여 살아가는 것입니다. 상대방을 이해하는 데도 상당한 어려움을 느끼기 때문에 타인을 격려하거나 칭찬하는 데에도 인색하고, 그래서 인간관계 역시 나빠질 수밖에 없습니다.

그래서 저는 정서력이야말로 '내면의 얼굴'이라는 생각이 듭니다. 마음밭이 건강하고 밝은 사람을 만날 때 우리는 그 외모와 상관없이 상대에 대한 호감을 느끼며 자주 만나고 싶은 마음이 들지 않습니까? 바로 내면의 얼굴인 마음밭이 예쁘기 때문입니다.

이렇듯 정서력이 좋으면 자기 자신을 풍부하게 표현할 뿐 아니라, 사람을 많이 얻을 수가 있습니다. 정서력이야말로 이 세상을 살아가는 경쟁력이라고도 볼 수 있는 것이지요.

그렇다면 한창 자라나는 우리 자녀들에게 어떻게 해야 이 좋은 정서력을 기워 줄 수 있을까요?

가장 일반적인 방법은 독서입니다. 독서야말로 자녀들의 마음을 넓히고 키워 주는 데 큰 역할을 합니다. 특별히 어린 시절에 엄마 아빠가 읽어 주는 독서는 자녀의 마음밭을 깊고 기름지게 만듭니다. 독서를 많이 할수록 상상력이 풍부해지고 공감 능력이 뛰어나서 타인에 대한 이해력도 커진다는 데에는 재론의 여지가 없습니다.

거기다 부모가 어려서부터 성경 말씀을 읽어 준다면 아이는 자존감과 정체성을 형성하는 데 결정적인 영향을 받습니다. 내가 누구이며 어떤 존재인가에 대해 마음으로 느끼고 동의할 수 있는 근거를 하나님 말씀인 성경만큼 뿌리 깊게 제공해 주는 책도 없기 때문입니다. 성경은 하나님이 누구시며 내가 누구인가에 대해 머리로도 깨닫게 할 뿐 아니라 마음으로도 느끼게 하는 희한하고도 특별한 책입니다. 지식을 자라게 할 뿐 아니라 정서와 영혼을 성숙시키는 유일한 책입니다. 그래서 성경 말씀을 읽어 주면 아이의 정서 속에 있는 불안, 우울, 두려움, 걱정, 근심 등의 부정적인 감정이 떠나가고, 기쁨, 감격, 평안, 사랑, 온유 등의 긍정적인 감정이 심겨집니다. 어려서부터 성경 말씀을 읽고 자란 자녀의 정서가 남다르게 평안하고 풍부한 것은 그 때문입니다. 하나님의 성품이 자녀의 정서 속에 그대로 녹아드는 것입니다.

세계적인 인재들을 배출하는 유대인들의 교육법을 보십시오. 그들은 유달리 자녀들의 정서적인 측면을 고려해서 교육을 시킵니다. 유대인들의 특별한 정서교육은 가정교육을 통해 나타나는데, 그 가정교육의 핵심이 '정서교육'이며 그 정서교육의 뿌리는 '구약성경'입니다. 탈무드에 나와 있는 유대인 자녀교육의 몇 가지 지침을 보십시오.

1. 어머니들은 모름지기 그의 자녀들에게 토라(모세5경. 즉 창세기, 출애굽기, 레위기, 민수기, 신명기)를 가르쳐야 한다(Exdus Rabbah 28:2).

2. 자녀에게 겁을 주지 말라. 벌을 주든지 용서하든지 하라(Semahot 2:6).

3. 집안에 화(anger)가 있는 것은 과일 안에 부패가 있는 것과 똑같다(Talmud Sotah 3).

4. 자녀를 편애해서는 절대로 안 된다(Talmud Shabbat 10b).

5. 자녀에게 주지 못할 것을 약속하지 말라. 거짓말을 가르치게 될 것이다(Talmud Shabbat 10b).

여기서도 알 수 있듯, 유대인들은 자녀의 정서에 상처 주는 일을 극도로 조심합니다.

그들은 탁이모에게 아이를 맡기는 일부터도 제도적으로 신중하게 진행합니다. 낯가림을 시작하는 아이를 위해 어머니는 아이를 맡기는 첫날 반드시 탁아원에 출근해야 합니다. 그런데 그 진행 과정이 재미있습니다. 첫날은 아이와 1시간 반 가량을 함께 지내다가 아이를 데리고 집으로 돌아가고, 둘째 날은 3시간 정도를 지내야 하며, 셋째 날이 되면 아이는 1층에서 혼자 놀게 하고 어머니는 2층에 올라와 있다가 아이가 울거나 보채면 얼른 내려와서 아이를 안아 주고 달래 주며 총 5시간 정도를 보냅니다. 이때 아이가 엄마를 찾지 않으면 그제서야 엄마는 안심하고 아이를 종일반에 맡긴 채 직장에 출근할 수 있습니다. 만약 아이가 열흘이 지나도 엄마를 찾으며 울면 엄마는 아이를 두고 직장에 갈 수 없도록 규정하고 있습니다. 이런 경우에는 아이와 어머니가 시간을 두고 더 좋은 방법을 찾아야만 합니다. 한국 부모들의 무조건적인 위탁교육과는 매우 대조적인 모습입니다.

맞벌이가 보편화된 이스라엘의 부모들은 퇴근 후에도 항상 아이와 함께 몇 시간을 보내는 것을 당연히 여기며, 밀린 집안일이나 각자 해야 할 일들도 아이가 잠들 때까지 미룹니다. 특히 자녀들을 향한 아버지들의 교육열은 매우 높아서 자녀가 소풍 갈 때나 학교 행사 때 즐겁고 기쁜 마음으로 참여하는 아버지들이 대다수라고 합니다. 아이의 정서에 상처 주지 않으려고 노력하는 모습들이 역력하지 않습니까?

저는 유대인들의 이런 정서교육이야말로 세계 0.3퍼센트의 인구만으로 30퍼센트의 노벨상을 수상하게 만든 원동력이라 생각합니다. 어려서부터 정서적으로 쓴 뿌리가 없이 건강한 마음으로 자라도록 도움으로써 확실한 실력자로 성장하게 하는 모판을 만들어 주는 것입니다.

영어를 가르치고 미술, 음악, 논술을 가르치기 이전에 먼저 이런 정신력, 체력, 정서력을 키워 주는 일에 한국 부모들이 진력한다면, 우리의 자녀들이야말로 세계를 제패할 수 있다고 믿어 의심치 않습니다.

자녀들을 향한 정서력 교육은 우리가 가장 잘하는 실수 한 가지만 고쳐도 얼마든지 좋아질 수 있다고 봅니다. 그게 무엇일까요?

그것은 자녀들을 끊임없이 비교하며 키우는 버릇입니다. 따지고 보면 골방 수재 교육도 이 비교하는 습관 때문에 생겨났고, 자녀들의 정서가 불안한 것도 부모의 비교하는 말 때문이라 볼 수 있습니다.

"쟤는 피아노를 잘 치는데 너는 왜 못하냐?"

"다른 집 애들은 밖에 나가 운동도 열심히 한다는데, 왜 너는 컴퓨터에만 빠져 있냐?"

"너는 얼굴이 다른 애보다 못생겼으니 공부라도 잘해야 할 거 아냐?"

"옆집 아이는 그렇게 성격이 무던하던데 너는 왜 그렇게 성격이 비뚤어졌냐? 왜 그렇게 까다로워?"

"넌 왜 동생만도 못하냐?"

"왜 너는 형처럼 공부를 잘하지 못하냐?"

많은 부모들은 자녀들의 자아상을 미리 규정지어 놓습니다.

'우리 아이 성격은 이렇고, 지력은 이 성노고, 정서력은 이 정도며, 음악, 미술, 피아노 실력은 이 정도는 되어야 해.'

그렇게 스스로 정해 놓은 기준에 아이들이 미치지 못하면 마음대로 자녀들을 그 기준과 비교하면서 정죄합니다. 한국의 많은 아이들이 어려서부터 정서불안과 정서장애에 시달리는 이유가 이 때문입니다. 자녀를 향한 부모의 그런 말들이 자녀들에게 '나는 모자란 사람이다'라는 자아상을 갖게 하여 우울, 불안, 실패감, 두려움, 분노라는 부정적 감정 상태에 빠지게 한다는 것입니다. 그런 감정 상태를 지속적으로 갖게 되면 나중엔 중독 증세로까지 이어집니다. 게임중독, 이성중독, 섹스중독, 마약중독 등 통제되지 않는 중독 증세를 보이게 됩니다. 비교하는 말 한마디로부터 시작된 상처가 그토록 극단적인 중독 증세로 발전할 수도 있다는 것을 기억해야 합니다.

우리는 자녀들을 키울 때 모든 사람들이 독특한 개성과 특성을 안고 태어났음을 철저하게 인정해야 합니다. 어느 누구도 예외 없이 '하나님의 걸작품'입니다. 누구와 비교할 수 없는 유일무이한 가치를 지닌 자가 바로 우리 자녀입니다.

그래서 우리는 자녀들을 연구하고 공부해야 합니다. 그래야만 내가 미리 정해 놓은 기준과 가치의 잣대로 자녀들을 뜯어고치려 하지 않게 됩니다. 있는 그대로의 모습을 존중해 주는 가운데 그에 맞도록 지도해 주고 그에 맞도록 교육해야 합니다. 앞서 말씀 드린 체력, 지력, 정신력도 남과 비교하면서 기르다 보면 오히려 역효과만 나타날 뿐입니다. 자녀의 수준과 반응을 보면서 그에 맞는 방법으로 교육해야 가장 좋은 효과가 나타납니다.

정서력 교육만 해도 그렇습니다. 저는 세 아이를 키우면서 세 아이 모두 다른 정서 상태를 갖고 태어났음을 실감할 수 있었습니다. 그중 큰아들 형진이는 어려서부터 운동을 좋아하는 외향적인 아이였습니다. 자기 의견도 거침없이 말할 줄 알고, 감정의 교류 또한 막힘없이 할 줄 아는 그야말로 '성격 좋은' 아이였습니다. 그 때문에 부모 자식 간에도 정서적인 교류가 잘 이루어졌습니다. 간혹 아빠에게 속상한 일이 있으면 이 아이는 아이답게 울면서 자신의 감정을 터트립니다. 그리고 아빠 품에 달려듭니다. 그러면 저는 금방 아이의 속상한 감정 상태를 읽어 내고는 아이를 안고 달래 주면 됩니다. 그것으로 일체 쓴 뿌리가 남는 법이 없었습니다. 큰아들은 건강한 정서력을 타고났다고 볼 수 있습니다.

그런데 둘째아들 명진이를 키워 보니 이 아이는 형과는 매우 다른 정서 상태를 지녔음을 알게 되었습니다. 명진이는 운동보다는 예술에 관심이 많고, 아빠에게 화나는 일이 생겨도 좀체 울면서 아빠 품에 달려드는 법이 없었습니다. 오히려 화가 난 마음을 자기 속에 꼭꼭 담아 두는 타입이었습니다. 그것은 이 아이가 선천적으로 감수성이 풍부하고 예민하다는 뜻입니다. 이런 아이들은 남들이 보지 못하고 느끼지 못하는 세계를 보고 느끼기 때문에 정서력이 풍부하지만, 쉽게 부정적인 상처에 노출된다는 점에서 정서력이 손상될 가능성이 크다고 볼 수 있습니다. 따라서 이런 아이의 부모는 비교하는 말을 아이에게 쏟아 부어선 더더욱 안 됩니다.

"야, 너는 왜 그렇게 잘 삐지냐? 형은 안 그랬어. 남자가 말이지 좀 호탕해야 할 거 아냐!"

　정서적으로 예민한 아이에게 이런 말을 한다면 아이는 자신의 존재 가치를 비하하면서 열등감을 갖게 됩니다. '남자다움=호탕함'이라는 잘못된 공식으로 아이를 판단하면 분노감만 심어 주게 됩니다. 사실, 남자는 호탕해야 한다는 공식 또한 부모가 갖고 있는 고정관념일 뿐, '남자다움=부드러움' 혹은 '남자다움=섬세함'이란 공식도 얼마든지 성립할 수 있습니다. 하나님께서 이 땅에 우리 자녀를 만들어 보내실 때의 그 독특함과 특별함을 부모인 우리부터 알아봐 주고 인정해 주는 태도가 필요합니다.

　우리 부부는 막내아들을 그렇게 키우려고 최선을 다했습니다. 예술적이고 섬세한 아이인 만큼 그 섬세함이 손상되지 않도록 관심을 기울이되, 날카로운 잣대로 아이를 다그침으로써 부정적 감정이 아이 마음에 자리잡지 않도록 더 기다려 주고 더 관대한 태도로 아이를 키웠습니다. 그래서인지 아들은 몇 년 전 결혼을 앞둔 시점에서 제게 이런 편지를 보내 왔습니다. 그 편지는 제가 아들에게 "그동안 아빠는 나름대로 네게 참 많은 신경을 쓰면서 노력했단다. 그런데도 아빠가 네게 잘못한 게 많지?"라고 물었던 것에 대한 아들의 답변이기도 했습니다.

　　☕ ☕ "사랑하는 아빠, 지금 생각하면 아빠에게 가장 고마운 게 있어요. 아빠는 제가 어릴 때부터 실수할 수 있는 허용 범위를 매우 넓게 주셨어요. 누나나 형은 조금만 실수해도 혼이 많이 났는데

엄마 아빠는 제게 실수의 허용 범위를 일부러 넓혀 주셔서 저를 많이 배려해 주고 기다려 주셨다는 거 알아요. 저는 그 넓은 배려의 공간에서 건강하게 자랄 수 있었어요."

이 편지는 두 가지 사실을 보여 줍니다. 저희 부부가 둘째아들을 큰아들과 똑같이 키우지 않았다는 것과, 막내아들이 일부러 실수의 허용 범위를 넓혀 키운 부모의 의도까지도 알아차리고 감사해 할 정도로 정서력이 깊은 사람으로 자랐다는 사실입니다. 즉, 정서적인 교육에서 우리 부부는 막내아들의 눈높이에서 막내아들의 특성을 존중해 주며 교육해 왔다고 생각합니다.

그러나 실수가 없었다는 뜻은 아닙니다. 명진이가 스무 살 때였을 겁니다. 그 해 추수감사절, 저는 여느 때처럼 아이들과 도란도란 대화를 나누다 다음처럼 물었습니다.

"명진아, 아빠가 네게 신경을 많이 쓴다고는 했지만 그래도 아빠가 무심결에 네게도 상처를 준 적이 있었니?"

그 물음에 아들은 "있었죠"라고 대답해 왔습니다. 깜짝 놀란 저는 "아직도 있었어?"라며 되물을 수밖에 없었습니다.

"그래? 나는 다 풀린 줄 알았는데 아직 있었구나. 그게 뭐야? 말해 줄 수 있겠니?"

제 물음에 아들은 초등학교 시절의 이야기를 들려주었습니다. 당시 아들은 아빠와 얘기를 나누다가 자신도 모르게 '피이~'라며 아빠를 무시하는 듯한 태도를 보였던가 봅니다. 그러자 그 모습에 화가 난 제가 명진이의 얼굴을 때렸다는 것입니다. 전혀 기억나지 않지만, 그때만 해도 제가 아버지로서 연약할 때였기에 노여운 마음을 절제하지 못해 그랬을 수도 있겠다 싶었습니다. 아들은 그때의 일을 얘기하며 이렇게 고백했습니다.

"그때부터 나는 아빠에게 마음 문을 닫았었어요. 근데, 오늘 그 마음을 풀고 싶어요."

가뜩이나 감수성이 예민한 아이가 그 일로 많은 상처를 받았겠다 싶어 얼마나 미안하던지, 저는 그 얘기를 그제서라도 들려준 것이 고맙다며 용서를 빌었습니다.

"아빠가 그랬구나. 그런데 너는 그 속상한 마음을 지금까지 갖고 있었네. 아빠가 기억은 안 나지만 네게 그런 행동을 했다니 정말 잘못했구나. 아마 그땐 이 아빠가 너무 무지해서 너희를 키우는 방법을 잘 몰라서 그랬을 거다. 아휴, 미안하다. 아빠를 용서해라."

진심 어린 사과에 아들은 웃으며 다음처럼 대답했습니다.

"괜찮아요, 아빠. 이제 저는 아빠에게 마음 문을 활짝 열어 놓을 게요."

어떻습니까? 자녀가 이렇게 지난 얘기를 꺼낼 때 어떤 반응을 보이겠습니까?

"넌 아직도 그때 일을 마음에 꼬옥 담아 뒀냐, 사내답지 못하게? 꼭 밴댕이 소갈머리 같으니라고…"

만약 이렇게 반응한다면 아이는 부모와 화해하려던 마음에 돌이킬 수 없는 상처를 안고 분노감을 가득 쌓게 됩니다. 어떤 부모는 이렇게 대답할지도 모릅니다.

"넌 왜 그렇게 형하고 다르냐? 형 같았으면 울면서 아빠 품에 달려들었을 텐데, 너는 그걸 그래 이제껏 마음속에 꽁꽁 담아 두고 있었어? 아빠가 그럴 수도 있는 거지. 아빠가 얼마나 화가 났으면 그랬겠냐?"

'다른 것'은 '틀린 것'이 아닙니다. 우리 아이가 다른 아이와 조금 다르게 반응한다고 해서 다른 아이 기준으로 내 자녀를 정죄하고 비난한다면 이 아이의 정서는 건강한 옥토가 될 수가 없습니다. 거칠고 메마른 황무지가 되어 어떤 열매도 마음 밭에서 키워 내기가 어려워집니다.

모든 아이가 다 다르다는 사실을 인정하기 바랍니다. 비교하지 말기 바랍니다. 그것이 올바른 정서교육의 첫 출발입니다. 앞서 고백했던 한 아이의 엄마처럼 먼저 아이의 마음에 공감해 주십시오.

"그랬구나. 네가 그래서 화가 많이 났었구나."

그렇게 공감해 주면서 아이의 정서를 어루만져 준 뒤에 함께 바른 방법을 찾아가는 겁니다.

"그럼, 이제 어떻게 하는 게 좋을까?"

"너는 이 문제를 어떻게 풀어 가고 싶니?"

"그 사람은 왜 그렇게 네게 화를 낸 것 같니?"

이처럼 단계를 맞춰 가며 적당한 자극을 줄 때, 문제를 받아들이고 스스로 풀어 가려 하는 정서력이 길러집니다.

한국 부모들은 어떤 교육이든 획일화하려 합니다. 창의성이 뛰어난 한국인들이 이런 교육을 시키게 된 것은 군사문화의 잔재겠지만, 이제는 그 방식에서 벗어나야만 합니다. 유니포미티(uniformity)가 아니라 유니티(unity)의 문화로 자녀들을 보자는 것입니다. 유니포미티는 획일화를 뜻하지만, 유니티는 각각의 개체를 인정해 줌으로써 조화를 이루는 것입니다. 유니포미티는 열 명이 전부 트럼펫을 부는 것이지만, 유니티는 한 명은 바이올린, 한 명은 피아노, 한 명은 첼로, 한 명은 더블베이스를 연주함으로써 아름다운 오케스트라를 이루는 것입니다.

자녀교육은 유니티를 지향해야 합니다. 첫째아이가 다르고 둘째아이가 다르고 셋째아이가 다릅니다. 우리집 아이와 이웃집 아이는 다르게 태어날 수밖에 없습니다. 따라서 각각의 자녀에게 맞는 눈높이 교육으로 접근해야 옳지, 한 가지 획일화된 방식으로 접근해서는 아이를 잡고 맙니다. 비교하는 말을 할 수밖에 없습니다.

저희 집 둘째아들 명진이는 학교 공부를 따라가는 지력이 탁월합니다. 그러나 큰아들은 상대적으로 그쪽 방면에 약합니다. 그렇다고 해서 큰아들에게 "너는 왜 명진이만큼 공부를 못하니?"라며 비교해 본 적은 없습니다. 큰아들 형진이는 학교 공부를 따라가는 지력보다는 남을 섬기고 돕고 배려하면서 남의 일을 내 일보다 더 열심히 해 주는 목회적인 지력이 탁월한 아이입니다. 결코 명진이와 비교할 수 없는 실력을 갖춘 것입니다.

거듭 말하지만, 우리 아이들을 다른 아이와 비교하지 말기 바랍니다. 다른 아이의 기준으로 우리 아이를 지도하지 말기 바랍니다. 상대적인 기준이 아니라 하나님 앞에서의 절대적인 기준으로 자녀를 가르치고 있는 그대로 존중해 주는 부모가 될 때, 우리 아이들의 정서력은 건강하게 자라날 것입니다.

실력자의 혈액, 관계력

세계가 하나의 지구촌으로 연결된 이 시점에서 우리 자녀들이 반드시 습득해야 할 또 하나의 실력은 '관계력'(關係力)입니다.

인간관계 능력, 즉 관계력이란 사회집단 속에서 사람들과 소통하는 능력을 말합니다. 리더십, 협동심, 동료 의식(fellowship) 등도 관계력에 들어가는 요소들입니다. 사람들과의 네트워크가 일반화되어 있는 21세기에는 이 관계력이 더욱 중요합니다. 관계력이야말로 실력 중의 실력이 될 수 있습니다.

지금은 사업을 해도 프랜차이즈 사업으로 갑니다. 온라인이든 오프라인이든 사람 사는 세상이 끈으로 연결되어 있기에 독불장군이 설 자리는 더 이상 없습니다.

미국의 CEO들을 대상으로 신입사원 채용 시 가장 중점을 두는 부분에 대한 조사를 한 결과, 놀라운 발표가 나왔습니다. 대기업 운영자들은 신입사원을 뽑을 때 학력이나 외모, 전문 능력보다 대인 관계 능력을 더 우선시하여 뽑는다는 것입니다. 왜 그렇습니까? 모든 일은 반드시 '협동'이라는 단계를 거쳐야 완성될 수 있기 때문입니다. 개개인의 능력이 아무리 뛰어나도 그 능력들이 대인 관계를 통해 조합되어야만 큰 일을 이룰 수 있습니다.

2천 명의 고용주를 대상으로 '가장 최근에 직원들을 해고시킨 이유'에 대한 조사에서도 같은 결과가 나왔습니다. 응답자 중 3분의 2가 "해직자들은 인화(人和)와는 거리가 먼 사람들이었다"고 대답했습니다. 전문 기술 능력 부족 때문이 아니라 관계 능력의 부족 때문에 직장에서 불이익을 당할 수 있는 것입니다.

미국의 유명한 경영자였던 존 록펠러는 이렇게 말했습니다.

"나는 이 땅의 어떠한 능력보다도 사람들의 인솔 능력을 가장 값비싸게 쳐줄 것이다."

그렇다면 부모인 우리는 이와 같은 '인간관계 능력'을 어떻게 자녀들에게 키워 줘야 할까요? 크게 두 가지만 소개하겠습니다.

첫째는, 어려서부터 남 돕는 훈련을 시키는 것입니다. 자녀들은 '섬김'에 대해 눈을 뜨면 '관계'를 배울 수 있습니다. 특별히 고난 중에 처한 사람들의 필요를 채워 줄 때 관계의 깊이가 무엇인지를 배우게 됩니다. 사람들의 필요를 읽을 줄 알고, 적절한 타이밍에 그 필요를 채워 줄 줄 아는 능력, 그것이 바로 관계력의 출발점입니다.

어려서부터 교회 봉사를 통해 순종과 협력을 배우고, 병원 봉사나 양로원 봉사를 통해 마음을 위로하는 법을 배우는 일은 그래서 중요합니다. 저희 아이들 역시 그렇게 컸습니다. 양로원에 가서 할머니, 할아버지 발도 씻겨 드리고, 때로는 찬송도 불러 드리도록 의도적으로 교육했습니다.

보이스카우트나 걸스카우트 등의 봉사 단체나 교회 청소년 공동체에 소속되어 생활하도록 적극 후원하고 지지하는 일도 관계력을 키우는 데 효과적인 방법입니다. 단기적으로 선교지에 파송하여 어려운 이들을 돕는 가운데 "남을 돕는다는 것은 구체적으로 배려하고 헌신해야 가능하다"는 사실을 알도록 이끄는 일도 필요합니다. 그렇게 자란 자녀일수록 좋은 대인관계의 기본인 '섬김'과 '협동심'이 몸에 배게 되어 있습니다.

큰아들 형진이는 인간관계가 매우 좋은 편입니다. 그런데 저는 어느 날 이 풍성한 인간관계의 비결이 무엇인지 알게 되었습니다.

형진이가 대학교를 다닐 무렵이었습니다. 하루는 형진이가 학교에 가려고 준비하다가 한 통의 전화를 받는 모습이 보였습니다. 그러더니 잠시 후 가방도 놔둔 채 그냥 집을 나서려고 하는 겁니다.

"너, 어디 가냐? 가방도 놔두고."

"아빠, 지금 친구 자동차가 고장 나서 길가에 멈춰 서 있내요. 그걸 고쳐 줘야죠."

"아니, 그러면 학교 수업도 빠지고 가려고?"

"지금 얘가 빨리 차를 고쳐서 어딜 가야 하는 상황이거든요. 제가 가지 않으면 안 돼요."

학교 수업보다 친구 돕는 쪽을 선택하는 큰아들의 모습을 보면서 저는 무릎을 쳤습니다.

'우리 아이에게 남다른 인간관계 능력이 있는 이유가 이것이었구나. 형진이에겐 언제든 남을 도우려는 마음이 우선적으로 자리 잡고 있어.'

형진이의 인간관계를 이루는 중심 바탕을 살펴볼 때마다 저는 인터그리티(integrity)란 단어가 생각납니다. 한국말로는 쉽게 번역되지 않는 이 단어는 신용, 정직, 겸손, 성실, 투명함이라는 뜻을 내포합니다. 겉과 속이 일치하는 사람, 말과 생각과 행동이 일치하는 사람을 가리킬 때 사용하는 단어입니다. 21세기가 신용을 중시하는 사회라는 점을 감안할 때 인터그리티를 몸에 익히는 것은 인간관계의 핵심을 간파했다는 뜻과 다르지 않습니다. 많은 사람들은 처세술로 인간관계를 유지하려 하지만, 처세술이 바탕이 된 인간관계는 단순한 기술적 차원에 머물기 때문에 처음엔 좋을지 몰라도 오래가지 못합니다. 반면, 정직과 성실이 바탕이 된 인간관계는 상대방에게 신뢰와 감동을 심어 주기에 날이 갈수록 결속력이 강해질 수밖에 없습니다. 형진이는 바로 그와 같은 신뢰와 감동을 사람들에게 주고 있는 아이였습니다.

저는 때로 형진이의 정직함에 저 자신이 많이 부끄러워지기도 합니다.

몇 년 전이었습니다. 당시 형진이는 결혼 후 얼바인이란 도시에서 신혼살림을 차렸는데, 전도사란 직업상 살림이 가난할 수밖에 없었습니다.

그런데 마침 시에서 저소득층 사람들의 주택 마련을 위해 5만 불을 지원해 주는 제도가 생겨났습니다. 한국식으로 치자면 영구 임대 아파트 개념과 비슷합니다. 시에서 5만 불을 지원받아 집 한 채를 사고 그곳에서 사는 동안은 세금 한 푼 안 내고 내 집처럼 살 수 있는 조건이었습니다. 평생 그곳에서 살아도 되고, 만약 큰 집을 마련해 이사 가고 싶다면 5만 불을 시에 돌려주기만 하면 그뿐이었습니다. 형진이가 저소득층에 해당되었기에 우리는 그 제도를 보며 매우 기뻐했습니다. 그런데 1주일 후 찾아온 큰 아들은 이렇게 말했습니다.

"아빠, 그 돈 못 받게 됐어요."

당연히 받게 될 거라 여겼던 우리는 깜짝 놀라 물었습니다.

"아니, 왜 그 돈을 못 받아? 그거 받으면 너무 좋을 텐데?"

제 물음에 아들이 자초지종을 설명합니다.

"제가 받는 사례비만 계산하면 당연히 저소득층에 해당요. 근데 아내가 가끔씩 이웃의 부탁을 받고 가정교사를 했잖아요. 그렇게 해서 받았던 돈 20불, 30불, 50불씩을 모아 계산해 보니 저소득층 1년 수입의 커트라인보다 2천 불(2백만 원) 정도가 더 되더라고요. 그래서 우린 자격이 없다고 시에 보고했어요."

형진이의 그 얘기를 듣자 저로선 아까운 마음부터 들었습니다. 틈틈이 가정교사로 일하며 받았던 돈은 소득 신고가 되지도 않은 현금이었고, 고정 급여도 아니었는데, 그걸 액면 그대로 기록하다니…. 그러나 아까운 마음은 잠시, 곧 부끄러운 생각이 들었습니다. 누가 보든 안 보든 하나님 앞에서 정직하고 투명하게 살아가는 아들의 모습이야말로 저에게 없는 인터그리티한 모습임을 깨달았기 때문입니다. 형진이는 그렇게 보고한 후에도 아까워하거나 후회하는 기색이 전혀 없었습니다. 수입 한도가 초과되었으니 당연히 '자격 미달'로 신고해야 한다는 태도였지요.

형진이의 이와 같은 인터그리티는 형진이를 대표하는 인간관계 능력의 핵심이었습니다. 그렇다면 어떻게 해서 형진이에게 이런 성품이 길러질 수 있었을까요? 문득, 형진이의 세 살 때 일이 떠오릅니다.

당시 엄마와 함께 쇼핑센터에 다녀온 형진이의 손에는 조그만 장난감 하나가 들려 있었습니다. 깜짝 놀란 아내가 물었습니다.

"이거 어디서 가져온 거야?"

값을 주고 물건을 사와야 한다는 개념에 미숙했던 어린 형진이는 천진난만하게 대답합니다.

"이거 아까 거기서 갖고 왔어요."

그러자 아내는 차근차근 알아듣도록 설명해 줬습니다.

"형진아, 이거는 우리가 돈을 내지 않았기 때문에 갖고 와선 안 되는 물건이야. 그냥 갖고 오면 도둑질이 돼. 알았지? 가서 돈을 내고 갖고 오자."

설명을 마친 아내는 그 즉시로 아이의 손을 잡고 쇼핑센터로 갔습니다.

그러고는 주인에게 진심 어린 사과를 했습니다.

"우리 아이가 아직 아무것도 몰라서 이 장난감을 그냥 갖고 갔더랬습니다. 죄송합니다. 여기 돈을 지불하겠습니다."

아직 어린 형진이를 다그치지 않으면서도 정직이란 무엇이고 신용이란 어떻게 얻는 것인지 아내는 그렇게 보여 주었습니다. 그러자 가게 주인이 형진이의 머리를 쓰다듬으며 거듭 "고맙다"는 말을 했습니다. "참 훌륭한 엄마시네요"라는 말과 함께 말입니다.

정직과 투명, 성실과 겸손에 대한 어린 시절의 교육은 삶에 대한 아이들의 태도를 바꿔 놓습니다. 어려서부터 빠짐없이 수입의 십일조를 드리는 습관을 가르침 받은 아이는 성인이 된 후에도 당연히 수입의 십일조를 하나님께 드립니다. 거짓말하지 않고 진실을 말할 때 칭찬과 사랑이 돌아온다는 사실을 경험하며 자란 아이라면 성인이 되어서도 인간관계 속에서 진실의 능력을 발휘하며 살아갑니다. 어려서부터 정직을 가르치는 것, 그것이 좋은 인간관계를 이루는 비법 중의 비법입니다.

이 외에도 우리 자녀들의 인간관계 능력을 높여 주는 또 하나의 비법이 있습니다. 바로 부모가 본을 보여 주는 것입니다.

부모는 모든 면에서 자녀교육의 모델입니다. '부모의 삶'은 자녀가 학습하는 장(場)입니다. 따라서 부모는 인위적으로 관계력을 키워 주려 하기전에 좋은 인간관계의 모습들을 몸소 보여 주는 삶을 살아야 합니다. 이를 테면 인간의 가치를 소중히 여기며 사람에게 집중하는 모습을 보이는 일입니다.

"그 사람한테 그렇게까지 해 줄 필요가 뭐가 있어? 이젠 다 망해서 아무것도 없는 사람이잖아."

"그 사람 도와줬더니 나한테 돌아오는 게 아무것도 없어. 어차피 혼자 사는 세상, 나나 잘 챙겨야지 누굴 챙기겠어?"

인간에 대한 신뢰를 깨고 인간의 가치를 무시하는 이런 말들을 자녀들 앞에서 반복적으로 할 때, 자녀들 역시 사람을 계산적으로 대하게 됩니다. 그러나 부모가 아무리 보잘것없어 보이는 사람도 최선을 다해 도우면서 그 사람의 가치를 높여 준다면 자녀들 또한 진심과 사랑으로 사람을 대하게 됩니다. 사람을 감동시키는 힘, 움직이는 힘을 부모로부터 배우면서 자녀들은 관계력의 핵심인 친화력을 형성해 가는 것입니다.

우리 주변에 관계력이 좋은 사람들을 한번 유심히 살펴보십시오. 그들은 사람을 성취의 수단으로 사용하지 않습니다. 사람 그 자체를 소중히 여기며 사람에게 집중합니다. 바로 그와 같은 모습을 우리 자녀들이 지닐 때 그들은 사람을 얻고, 그와 동시에 많은 것을 성취하는 자가 될 것입니다.

실력자의 밸브, 관리력

지력, 체력, 정신력, 정서력, 관계력 외에 부모가 자녀에게 꼭 심어 줘야 할 또 하나의 실력은 '자기 관리 능력'입니다. 편의상 여기서는 '관리력'(管理力)이라 말하겠습니다.

관리력은 굉장한 실력입니다. 관리력이 없으면 아무리 많은 실력을 쌓아도 그 실력을 제대로 발휘하지 못합니다. 실력을 쓸데없이 소모하거나 쌓은 실력을 사용하지 못할 수도 있습니다. 자기 관리 능력이란 마치 가스 밸브와 비슷하기 때문입니다. 밸브가 고장 나 보십시오. 필요할 때도 연료를 공급하지 못하거나, 그만 나와야 하는데도 가스가 새서 폭발할 수도 있습니다. 공급과 차단을 적절히 할 수 있는 능력, 그것이 바로 자기 관리 능력입니다.

① 시간 관리

그렇다면 이 관리력은 어디서부터 어떻게 키워 줘야 할까요?

먼저는 시간을 잘 관리하는 데서부터 출발합니다. 이에 대해 성경은 이렇게 말씀합니다.

> "세월을 아끼라 때가 악하니라"(엡 5:16).

성경은 우리에게 "시간을 아끼라"고 말씀합니다. 시간을 잘 관리한다는 것은 시간을 아끼며 쓴다는 뜻입니다. 내게 주어진 모든 시간 시간을 극대화해서 사용하는 것입니다. 그것은 결코 시간에 쫓겨 허둥대거나 조급해 하는 것을 뜻하지 않습니다. 지금 이 시간에 할 수 있는 최상의 것을 선택해서 최선을 다하는 것을 뜻합니다.

예를 들어 우리 자녀가, 다니던 모든 학원을 오늘부터 끊고 독서와 운동을 하기로 결정했다고 칩시다. 그러면 책 읽는 1시간 동안은 책 읽는 재미에 푹 빠져 지내는 게 시간을 극대화하는 것입니다. 운동하는 시간 1시간도 즐겁고 재미있게 해야 시간을 최대한 아껴 썼다고 볼 수 있습니다. 운동하면서도 내내 '수학 공부 해야 하는데…', '피아노를 안 배우면 어떻게 되지?'라며 우왕좌왕 불안한 시간을 보내 버리면 결코 시간을 극대화했다고 볼 수 없습니다. 주어진 시간을 즐기면서 최선을 다해 집중해야 합니다.

우리 모두에게 시간은 똑같이 분배되어 있습니다. 그리고 누구에게도 저축된 시간은 없기 때문에 필요에 따라 시간을 얼마만큼씩 끌어다 쓸 수 없습니다. 주어진 분량의 시간을 가장 효과적으로 쓰면 그것이 가장 시간 관리를 잘하는 게 됩니다.

우리 자녀들에게 이 사실을 가르쳐 줘야 합니다. 때로는 공부하는 것이, 때로는 운동하는 것이, 또 때로는 잘 쉬어 주는 것이 시간을 극대화해서 쓰는 것임을 아는 지혜를 심어 주라는 것입니다. 그것에 대한 지혜가 심겨지고, 비전에 대한 동기부여가 되기만 하면 우리 자녀들은 무섭도록 목표를 향해 돌진합니다. "이제 그만 자야지"라고 말해도 "조금만 더 공부할게요. 지금은 공부할 때거든요"라고 말합니다. 주어진 시간을 가장 극대화해서 사용하는 것이 무엇인지 알기 때문입니다.

어떤 사람은 24시간 동안 10시간도 못 살지만, 어떤 사람은 24시간 동안 48시간을 살기도 합니다. 성경 말씀대로 세월을 아끼느냐, 그렇지 않느냐에 따라 같은 시간을 살아도 시간을 낭비하기도 하고 벌기도 하는 것입니다.

NIV(New International Version) 영어성경에는 이 구절이 "Make the most of every opportunity"라고 표현되어 있습니다. 모든 기회를 극대화해서 가장 보람 있게 사용하는 것이 세월을 아끼는 것임을 알게 해 주는 표현입니다. 다른 영어성경 NASB(New American Standard Bible)에서는 "Making the most of your time", 즉 "주어진 시간을 극대화하라"고 번역되어 있습니다. 또한 KJV(King James Version)에서는 "Redeeming the time, because the days are evil"이라고 번역했는데, 여기서 'redeeming'이란 '구속(救贖)하다', '구원하다'란 뜻입니다. "예수께서 우리를 구원하셨다"라고 말할 때의 'redemption'이란 단어와 뿌리가 같습니다. 그러니까 예수님께서는 우리에게 "값을 줘서 쓰듯이 시간을 귀하게 사용하라"는 말씀을 하고 계신 것입니다.

우리 자녀들에게도 이와 같은 시간 관리의 중요성을 일깨워 줘야 합니다. 이를 위해 저는 항상 시간을 계획해서 사용하는 모습을 자녀들에게 보여 줬고, 또 지금도 그렇게 살아가고 있습니다. 하루, 한 달, 1년의 계획도 잡지만 5년, 10년, 50년 계획도 잡습니다. 「박수웅의 자기 경영」에서 밝힌 대로, 저는 미국 이민 25년째를 맞는 해인 1997년도에 앞으로의 25년을 미리 계획하는 '미래 이력서'를 쓴 바 있습니다(이에 대해 제 11장에서 자세히 언급하겠습니다).

모처럼 병원 일을 쉬며 말씀을 묵상하던 저는 앞으로의 제 삶을 새롭게 계획하라는 성령의 강한 감동과 영감을 느꼈습니다. 그리하여 앞으로 펼쳐질 제 생애의 한 해 한 해 동안 해야 할 일, 하고 싶은 일들을 미리 계획했고, 그 계획은 놀랍게 성취되어 가고 있습니다.

저희 아이들도 그런 아버지를 닮아 어려서부터 미래 이력서를 쓰며 자라 왔습니다. 놀더라도 계획을 세워 놓고, 공부 역시 계획 속에서 해 나갑니다. 계획은 이제 자녀들의 삶에 습관이 되었습니다.

미국 속담에 이런 말이 있습니다.

"Failing to plan is planning to fail"(계획하기를 실패하는 자는 실패하기로 계획하는 것이다).

우리의 자녀가 성공적인 인생을 살기를 바라십니까? 그렇다면 먼저 시간을 관리하는 지혜를 키워 주시기 바랍니다. 이를 위해 먼저 시간을 계획하게 하십시오. 미래를 계획하면서 기도하고, 미래 이력서를 쓰면서 하나님과 상의하는 자녀가 되도록 이끌어 주십시오. 그리고 부모가 먼저 이 일에 본이 되어 주십시오. 그러면 분명 시간 관리의 달인이 되어 시간을 다스리고 정복하는 멋진 리더로 자랄 것입니다.

② 돈 관리

자기 관리의 두 번째 항목은 돈 관리입니다. 돈 관리 능력은 올바
른 경제관념으로 물질을 잘 관리하고 다스리는 능력을 뜻합니다.

지금도 그렇지만 앞으로는 점점 이 능력이 중요하게 부각될 수밖에 없
습니다. 우리 자녀들이 살아가는 세상을 보십시오. 자본주의 체제이며 물
질 만능주의 세상입니다. 이런 세상 속에 서 있는 우리들이기에 자칫 돈
의 노예가 되거나 돈 때문에 고통받는 인생을 살 수도 있습니다. 하나님
의 청지기로서 물질을 잘 다스리고 관리하며, 풍요롭고 넉넉하게 살아가
기 위해서는 어려서부터 물질 교육이 반드시 필요합니다.

무엇보다 크리스천인 우리 자녀들에게는 '돈'에 대한 바른 개념 정리
가 되어 있어야 합니다. 돈 그 자체가 악하거나 선한 것이 아니라 돈을 어
떻게 벌며 어떻게 쓰느냐에 따라 선할 수도 있고 악할 수도 있음을 알려
주면서, 소비 습관, 저축 습관, 베푸는 습관, 그리고 무엇보다 하나님께 드
리는 습관이 잘 정립될 수 있도록 도와야 합니다.

저는 교회가 반드시 우리 자녀들에게 가르쳐야 할 두 가지 문제가 있다
면 '돈'과 '성'(性)이라고 생각합니다. 돈과 성에 대한 세상의 가르침과 성
경의 가르침이 너무나 다르기 때문입니다. 돈에 대한 세상의 가르침은
"개처럼 벌어 정승처럼 쓰라"지만, 성경은 수단 방법 안 가리고 돈만 많이
벌면 된다는 식의 사세를 매우 경계합니다. "벌어서 남 주랴"가 아니라
"벌어서 남 주자"를 가르칩니다. 세상은 한 푼이라도 절약해서 종자돈을

만드는 데 우선적으로 집중하라고 말하지만, 성경은 먼저 하나님께 드림으로 물질 관리의 첫걸음을 떼라고 말씀합니다. 하나님 제일주의로 살고, 아끼고 절약하되 이웃을 위해서는 입고 있던 겉옷까지도 벗어 줄 만큼 후하게 베풀라고 말씀합니다. 그렇게 살 때 오히려 축복이 있다는 것입니다.

저는 이와 같은 경제 원리를 중심으로 제 자녀들에게 크게 세 가지 경제관을 집중적으로 지도했습니다.

첫째는 하나님께 십일조를 드리는 것이고, 둘째는 내게 주어진 물질을 해마다 선교사님들이나 이웃들과 나누는 것이며, 셋째는 평소 근검절약하면서도 그 자체를 즐거워하며 풍요롭게 사는 것입니다.

그래서인지 몇 년 전 막내아들 명진이는 저를 두고 "아빠를 생각하면 떠오르는 단어가 humble(겸손함, 검소함)이에요. 아빠는 항상 절약하면서 남을 위해 쓰는 것을 좋아하잖아요"라는 말을 하기도 했습니다. 그것은 제 입으로 "너희들도 알지? 아빠가 얼마나 절약하고 아끼며 남을 위해 베푸는가를…. 너희들도 이 아빠를 본받아서 살아야 한다"라고 교육하는 것과는 차원이 다릅니다. 아이들이 이미 아빠의 삶을 보면서 감화받고 있다는 뜻이기에 저는 아들의 그 말을 듣고 얼마나 감사했는지 모릅니다.

실제로 우리 세 아이 모두는 저와 아내가 하는 것처럼 물건을 사도 꼭 세일 품목인지 아닌지를 따져 가며 사고, 많은 종류의 쿠폰을 차곡차곡 모았다가 꼭 쿠폰을 이용해 사곤 합니다. 얼마 전 큰아들은 1만 5천 불짜리 자동차를 구입했는데, 그동안 모은 쿠폰 7천 5백 불을 그때 사용해서

구입 비용을 반이나 줄였습니다. 언젠가 한번은 목사가 된 큰아들이 설교할 때 이런 이야기를 한 적도 있습니다.

☕ ☕ "제 어린 시절, 아버지는 무슨 물건인가를 사오면 저희들에게 항상 물으셨습니다. '이거, 얼마 주고 사 왔게?' 그럼 우리들은 이미 다 압니다. 아버지가 사 온 것은 분명 10불 미만이라는 것을요. 그렇지만 우린 아버지의 마음을 즐겁게 해 드리기 위해 이렇게 말합니다. '100불이죠?' 그러면 아버지는 고개를 절래절래 흔들며 대답합니다. 'Low(그 아래야)!' 우린 깜짝 놀란 듯이 이렇게 말합니다. '그럼 50불?' 아버지는 흐뭇한 미소를 지으며 또 이렇게 대답합니다. 'Low!' 우리가 다시 '30불이요?'라고 물으면 아버지는 또다시 'Low!'라고 말씀합니다. 그제서야 우리는 '10불?'이라고 묻습니다. 그럼 아버지는 환하게 웃으며 말씀합니다. 'Right!(맞아)' 아버지는 언제나 그렇게 10불짜리 물건을 사 오셔서는 가족 모두와 함께 즐거워하셨습니다."

이 설교를 전하는 설교자의 마음이 느껴지지 않습니까? 큰아들 또한 절약하고 아끼며 사는 그 자체를 궁상맞게 여기거나 짜증스러워하지 않고, 그것을 즐기고 있다는 걸 알게 해 주는 대목입니다.

형진이는 결혼 전, 데이트하다가 음식점에 갈 때도 두 사람이 한 사람

값으로 먹는 쿠폰을 이용해 음식 값을 지불하곤 했습니다. 그런 모습을 보자 넉넉하게만 자랐던 며느리는 화가 났었나 봅니다.

"너는 왜 나를 값싸게 취급하니? 내가 그렇게 값싼 것만 먹을 정도밖에 안 돼?"

그러자 아들이 정색을 하고 대답했다고 합니다.

"이게 왜 값싼 음식이야? 여긴 고급 레스토랑이야. 나는 너를 공주님 대접하고 있는 걸?"

"그럼 왜 자꾸 공짜 쿠폰을 사용하는 거야?"

"내가 쿠폰을 사용하는 것은 적은 돈으로 맛있는 음식을 둘이 먹을 수 있기 때문이야. 이게 얼마나 좋아? 이건 지혜를 모은 거지, 결코 너를 무시한 게 아니야."

그 뒤 우리 며느리가 어떻게 바뀌었을까요? 결혼 전에는 한 번도 쿠폰이란 걸 사용하지 않던 며느리가 결혼 후부터는 우리 집에만 오면 신문 광고에 있는 쿠폰을 잘라 가기 바쁩니다. 지혜를 모아 절약하여 살림하는 것입니다.

절약하는 데서 제 아내 역시 아이들에게 좋은 본보기를 보여 줬습니다. 육순이 넘을 때까지 백화점에 가서 비싼 명품 옷을 사 본 적도 없고, 그 흔한 보석 반지 하나 끼지 않았습니다. 남들은 적어도 의사 부인이니까 명품 옷만 선호할 거라 예상하지만, 우린 명품 브랜드 옷을 따로 구입해 본 적이 없습니다. "왜 사모님은 명품이 하나도 없어요?"라는 말을 오히려 이상하게 여길 정도입니다.

"아니, 우리 자체가 명품인데 왜 명품 옷에게 신세를 지려고 하지? 옷이 나한테 신세를 져야지."

특별히 우리 부부는 한국에 나올 때마다 이런 얘기를 자주 합니다. 한국만큼 명품 문화가 보편화된 곳이 없기 때문입니다. 세계에서 가장 잘산다는 미국도 문화 자체는 매우 검소합니다. 한국처럼 너도나도 명품 브랜드를 즐겨 찾는 분위기가 아닙니다.

그러나 한국은 체면문화 영향 때문인지 좋은 옷, 좋은 가방, 좋은 신발을 신지 않으면 상대방도 무시할 뿐만 아니라 본인도 괜히 주눅 드는 분위기입니다. 왜 주눅 듭니까? 내 스스로 '명품 콤플렉스'에 사로잡혀 있기 때문입니다. 명품 옷 입는 사람을 흠모하는 눈으로 바라보기 때문입니다.

저는 몇 년 전에 샀던 양복을 입고 지금도 오대양 육대주를 다닙니다. 전혀 불편함을 느끼지 않습니다. 그러나 지난번에 한국에 왔을 때 어떤 자매님이 그런 얘기를 하더군요.

"장로님, 요즘은 양복 트렌드가 매년마다 바뀌어서 남편 양복을 해마다 새로 해줘야 해요."

아내와 저는 깜짝 놀랐습니다. 남성복까지 유행의 급물살을 탈 정도로 변화하는 패션 경향에 놀랐고, 그 유행에 민감하게 반응하며 사는 교회 안의 사람들에게 놀랐습니다.

물론 패션 감각이나 나를 돋보이게 할 줄 아는 센스도 실력이라 할 수 있습니다. 시대에 뒤떨어지게 혼자서만 이조시대 여인처럼 살라는 뜻이 아닙니다. 다만, 유행이나 명품을 좇는 내 모습이 사치나 허영이나 과용에 빠진 것은 아닌지 돌아보라는 것입니다. 유행을 좇는 게 텅 빈 내 속을 포장하고 치장하는 겉치레가 아닌지 말입니다. 혹은 어린 시절부터 잘못 길들여진 소비 습관 때문에 그럴 수도 있습니다.

물질을 다스릴 줄 아는 사람은 5천 원짜리 옷을 입고도 기품 있게 살 줄 알며, 자신의 것을 절약해 많은 사람들을 돌볼 줄 압니다. 그러나 물질을 다스리지 못하면 1백만 원짜리 셔츠를 입고도 마음은 텅 빈 거지처럼 살아갑니다. "나는 부족해. 이것도 부족하고 저것도 부족해"라며 "다오 다오"(잠 30:15)를 외친다면 그것이야말로 거지의 모습이 아니겠습니까? 돈이 있어도 부족하게 살고, 돈이 없으면 더욱 궁색하게 사는 그런 모습일 수밖에 없습니다. 돈을 잘 관리하고 쓸 줄 알며, 그로써 또 다른 축복을 부를 수 있는 물질 관리의 능력이야말로 자녀들의 삶을 복되게 이끄는 실력 중의 실력입니다.

③ 정욕 관리

우리 자녀들이 키워야 할 세 번째 자기 관리는 정욕 관리입니다. 정욕의 문제, 성적인 문제는 단 한 번의 실수로도 돌이킬 수 없는 비극을 낳는다는 점에서 부모인 우리가 특히 관심을 기울여 지도해야 할 분야입니다.

현대로 올수록 정욕 관리를 잘하지 못해 인생을 망치는 사람들이 많습

니다. 여기엔 지식인뿐만 아니라 성직자들도 예외가 아닙니다. 그만큼 정욕 문제는 심각합니다.

그러나 대부분의 부모들이 이 문제를 어떻게 다뤄야 하는지 난감해 합니다. 그래서 부모는 공부해야 합니다. 자녀의 성에 관한 책도 많이 보면서 전문기관의 도움도 적극적으로 받을 것을 권합니다. 이에 대해서는 이미 「우리… 사랑할까요?」에서 비교적 자세히 설명한 바 있으므로 지면 관계상 여기서는 생략하도록 하겠습니다.

다만 한 가지, 꼭 언급하고 싶은 사실이 있습니다. 모든 정욕의 문제는 결국 성경이 지적한 바와 같이 탐심에서 비롯된다는 사실입니다. 하나님을 떠나 자기 자신의 욕망만을 채우려는 마음에서부터 정욕 문제는 시작됩니다. 그러므로 요셉처럼 하나님 앞에서의 삶, 즉 코람데오(Coram Deo)의 삶을 살도록 이끌어 주는 신앙교육이야말로 정욕 관리 능력의 핵심이라 할 수 있습니다.

만약 정욕 문제에서 실패하면 다윗과 삼손처럼 치명적 상처를 남길 수 있습니다. 따라서 우리 자녀들을 지도자로 키운다는 것은 어려서부터 순결교육을 철저히 행하며 키운다는 뜻임을 기억해야 합니다. 정욕 문제에 대해서는 아무도 자만할 수 없기 때문에 어려서부터 자신의 몸이 하나님의 성전임을 깨닫게 하는 성경교육을 통해 하나님 앞에 순결하게 살도록 이끌어야 합니다.

제 아들 형진이의 얘기를 예로 들어 보겠습니다. 이 아이는 고등학교를

졸업할 때 성적 유혹을 받은 적이 있었습니다. 일명 '프롬'이라는 졸업 파티에서였지요. 이 파티는 저녁 5시부터 새벽 2시까지 진행되는 파티로서, 남자들은 턱시도를 입고 여자들은 야한 드레스를 입은 채 쌍쌍 파티 형식으로 열립니다. 형진이의 파트너 역시 가슴이 깊이 파인 드레스를 입고 나타나 아들의 마음을 설레게 했지요. 더군다나 함께 춤도 추고 게임도 하면서 몇 시간을 보내다 보면 육체적, 정신적인 친밀감이 깊어질 수밖에 없습니다. 형진이는 그와 같은 시간을 보내다가 새벽 2시가 되기 전 파티의 진행 순서를 따라 라구나 비치를 거닐었고, 새벽 2시가 되자 파트너를 가볍게 포옹해 준 후 집으로 데려다 주었습니다. 그런데 그때 상대 파트너가 키스해 달라는 뜻으로 얼굴을 내밀었다고 합니다. 그러나 형진이는 얼굴을 내미는 파트너의 머리를 자연스럽게 누르며 "잘 자라"고 인사한 후 서둘러 집으로 돌아왔습니다. 다음날 제가 "어제 파티 어땠냐?"고 물었을 때 형진이가 대답한 정황들입니다.

그래서 제가 물었습니다.

"왜 그랬니? 살짝 키스해 주고 오면 되잖아?"

그러자 아들이 이렇게 답했습니다.

"아빠, 만약 그때 제가 키스를 하면 성욕이 올라와서 제어가 안 될 것 같았어요. 제가 제 자신을 어떻게 할 자신이 없더라고요."

아들의 그 말을 듣자 얼마나 대견하던지, 형진이야말로 요셉처럼 어떤 상황에서도 하나님을 의식함으로 자신을 절제할 수 있는 사람이란 사실에 마음이 뿌듯해졌습니다. 그리고 아들의 어린 시절부터 가정예배를 통해 가르쳤던 것들("너희 몸은 하나님이 거하시는 거룩한 성전이며, 하나님께서 늘 너희들을 보고 계신다")이 헛되지 않았음에 대해 감사할 수 있었습니다.

아버지가 아들과, 또 어머니가 딸과 나누는 순결교육은 이처럼 중요합니다. 어려서부터 끊임없이 성에 대해 이야기를 나누고, 또 왜 순결해야 하며, 어떻게 순결을 지킬 수 있는지 나누는 가정에서 자란 자녀들일수록 정욕 관리에서 실력자가 될 수 있음을 기억하시기 바랍니다.

실력자의 완성, 영력

지금까지 살펴본 여섯 가지 실력을 모두 아우르는 능력이 바로 '영력'(靈力)입니다.

영력, 즉 영성이란 무엇입니까? 영성은 '영혼 속에 흐르는 하나님의 생명'이라고도 말할 수 있고, '하나님과의 관계 속에서 이 세계와의 온전한 관계를 형성할 수 있는 능력'이라고도 할 수 있습니다. 따라서 영성이 있으면 이 세상을 살아가는 도덕과 윤리 문제도 자연히 해결됩니다. 도덕과 윤리의식만으로는 영성을 가질 수 없지만, 영성을 가지면 도덕과 윤리 문제가 해결된나는 것입니다.

요셉을 보십시오. 그가 보디발 아내의 성적인 유혹을 견뎌 낼 수 있었던 힘은 그의 영성이었지 윤리의식이 아니었습니다. 성적으로 한창 왕성할 나이인 청년의 시기에 "유부녀와의 잠자리는 도덕적으로 지탄받을 일이다"라는 윤리의식만으로는 그런 유혹을 이겨 낼 수가 없습니다. 더군다나 아무도 보는 이가 없고, 보디발의 아내가 노골적으로 유혹하는 상황에서 성적 충동은 통제가 거의 불가능합니다. 그러나 요셉은 그 유혹을 이겨 냈습니다. "내가 어찌 이 큰 악을 행하여 하나님께 죄를 지으리이까"(창 39:9)라는 영성의 힘으로 말입니다.

영성은 이렇듯 사회윤리와 도덕적 수준을 뛰어넘는 힘을 발휘합니다. 영성 안에는 하나님을 경외할 뿐 아니라 이웃과 바른 관계를 갖게 하는 초월적 능력이 있습니다.

그래서 우리 자녀들에게 신앙을 심어 주는 것만큼 중요한 일도 없습니다. 앞서 얘기한 대로 신앙은 자녀들에게 강인한 정신력도 키워 주지만, 또한 이 세상을 살아가는 데 꼭 필요한 관계의 규범 및 질서 의식까지도 심어 줍니다. 윤리와 도덕적 잣대로서가 아니라 하나님과의 관계 속에서 이웃과의 관계, 세상과의 관계를 바로 세우도록 이끌어 주는 것이 신앙입니다.

"자녀들아 주 안에서 너희 부모에게 순종하라 이것이 옳으니라 네 아버지와 어머니를 공경하라 이것은 약속이 있는 첫 계명이니 이로써 네가 잘되고 땅에서 장수하리라 또 아비들아 너희 자녀를 노엽게 하지 말고 오직 주의 교훈과 훈계로 양육하라"(엡 6:1-4).

성경은 부모 공경이나 자녀교육 등을 결코 신앙과 분리해서 말씀하지 않습니다. 하나님께선 하나님과 나와의 관계가 반드시 나와 이웃과의 관계, 나와 가족과의 관계, 나와 세상과의 관계로까지 아름답게 확장되어야 함을 조목조목 말씀해 주십니다. 하나님과의 바른 관계 속에서 이 세상과 온전한 관계를 형성하도록 이끄시는 것입니다. 그것이 바로 영적인 삶이요, 거룩한 산제사이며, 십자가를 지는 삶임을 강조합니다.

그래서 영성 있는 자녀들은 세상을 밝히며 세상에서 꼭 필요한 사람으로 살아가게 됩니다.

부모인 우리는 조기 영어교육 이전에 조기 신앙교육을 먼저 행해야 합니다. 신앙은 자녀의 삶을 빛 된 삶으로 이끄는 알파요 오메가이기 때문입니다.

완벽함이 아니라 온전함으로 행하는 자녀교육 십계명

이상 일곱 가지 실력으로 자녀들을 키우라고 한다면 어떤 부모들은 되물을 것입니다.

"어떻게 우리가 아이들을 그렇게 완벽하게 키울 수가 있겠어요?"

아닙니다. 저는 결코 완벽한 아이로 키우라고 주문하는 게 아닙니다. 우리 자녀들을 골방 안에만 가둔 채 머리만 크고 손발은 작은 가분수로 키우지 말고, 진정한 실력자로 키우라는 얘깁니다. 독수리로 태어난 우리 자녀들에게 장차 하늘을 날 수 있도록 날개에 힘을 실어 주는 교육을 하자는 뜻입니다.

우리는 결코 완벽한 사람을 키워 낼 수 없습니다. 그러나 온전함을 추구할 수는 있습니다. 그래서 저는 개인적으로 이 일곱 가지 자녀교육의 지침들을 바탕으로 부모가 행해야 할 '자녀교육 십계명'을 만들어 날마다 들여다 보곤 합니다. 부모의 침대 머리맡에 다음과 같은 글귀를 적어 날마다 새겨 보는 것입니다. 어떻습니까? 이 글을 읽는 당신도 오늘부터 함께 시행해 보지 않겠습니까?

부모가 행해야 할 자녀교육 십계명

1. 먼저 하나님 나라와 하나님의 의를 구하는 삶(마 6:33), 온전히 하나님을 좇는 삶을 살도록 가르친다. 이는 영력에 해당한다(수 14:8-9, 14, 민 14:24, 신 6:5).

    ●●● 실천사항: 가정예배, QT는 필수적으로 행한다. 첫 자리를 드리도록 한다. 성경 읽기, 성경 암송을 가르친다. 항상 "예수라면 어떻게 하셨을까"를 생각하고 결정하도록 한다.

2. 지력을 키우도록 이끈다(호 6:3-6).

●●● 실천사항: 성경 공부(PBS)-그리스도를 아는 지식이 가장 고상함(빌 3:8)을 알려 준다. 학과 공부에 충실하도록 이끌되 "공부해서 남 주자"는 철학을 심어 준다. 폭넓은 독서 습관(신앙 서적, 위인전, 역사 서적, 지도력 증강 서적), 독서 감상문 쓰는 습관을 길러 준다.

3. 정서력과 덕을 심어 준다(잠 4:23, 빌 2:3, 5).

●●● 실천사항: 건강한 자아상(빌 3:9, 예수 안에서 자신을 발견하도록)을 심어 준다. 내가 건강해야 남을 건강하게 할 수 있음을 가르친다. 먼저 사람이 되고 남에게 덕을 세우도록 한다. 건강한 인격, 정직, 순결, 겸손, 화평케 하는 자가 되도록 도전한다. 걱정, 근심, 염려, 불안을 하나님께 맡기는 습관(요 14:1, 빌 4:6-7, 벧전 5:7)을 키운다. 쓴 뿌리나 상처는 예수님 안에서 치유하고, 마음이 건강하며 유머 있는 삶을 살도록 한다.

4. 정신력을 강화시킨다(수 14:10-12).

●●● 실천사항: 역경, 대적, 파도 앞에서 두려워하거나 위축되지 않고, 오히려 올 것이 왔다는 자세로 대적하며 극복하고 승리하도록 도전한다. 개척자, 선구자적 자세로 오대양 육대주를 바라보고 정복하도록 이끈다. 세계를 가슴에 품은 월드 크리스천이 되도록 격려한다.

5. 체력을 강화시킨다(수 14:10-11).

●●● 실천사항: 체력은 국력이다. 건강한 몸을 위해 절제 생활을 가르친다. 술, 담배, 마약을 금지한다. 노름과 섹스에 탐닉하지 않도록 지도한다. 절제된 식생활과 꾸준하고 정기적인 운동을 하게 한다.

6. 시간 관리를 철저히 지도한다(엡 5:15-16).

●●● 실천사항: 하루 생활 시간표를 작성하고 실천하도록 한다. 우선순위를 정하고 바쁜 일보다는 중요한 일에 더 시간을 사용하도록 이끈다. 1년 계획, 5년, 10년, 25년, 50년 계획을 세우고 미래 이력서를 작성하도록 한다. 인생의 마스터플랜을 세우도록 이끈다.

7. 금전 관리를 지도한다(딤전 6:10).

●●● 실천사항: 수입, 지출의 계획표를 작성하도록 한다. 검소함을 가정의 교훈으로 삼는다. 내 것을 절약하고 절제함을 통해 남을 위해 풍성하게 베풀도록 이끈다. 어려운 이웃들의 형편을 살피도록 지도한다. 돈 문제에 정직하도록 가르친다. 진정한 명품이 나 자신임을 주지시킴으로써 명품 문화에 휘둘리며 살지 않도록 한다.

8. 정욕 관리를 어려서부터 지도한다(요일 2:15-17).

●●● 실천사항: 육신의 정욕-돈, 성 문제를 관리하도록 한다. 안목의 정

욕 – 눈으로 범하는 죄를 짓지 않도록 한다(아이쇼핑 중독 관리). 이생의 자랑 – 허영과 공명심, 명예심, 교만을 버리도록 이끈다. 겸손과 검소함을 생활화 하도록 한다.

9. 인간관계의 중요성을 가르친다(롬 12:14-21).

●●● 실천사항: 적을 만들지 말고 신실한 사람들과 폭넓게 교제하도록 이 끈다. 사회적으로 유익을 주는 사람이 되도록 가르친다. 인적 네트워킹이 진정한 재산임을 가르친다. 인격적이며 신앙 있는 친구와 사귀며 그들에 게 유익을 주도록 한다. 손해 보고 져 주고 양보하는 것을 두려워하지 않 도록 도전한다. 가난한 자, 도움이 필요한 자를 돌보며 섬기는 자세를 갖 도록 이끈다. 남을 비방하거나 무시하는 말 대신 숨겨진 장점을 찾아내어 칭찬하고 격려할 줄 아는 눈과 입을 갖게 한다.

10. 원대한 비전을 품고 꿈꾸는 자녀, 미래 지향적이며 긍정적인 자 세의 자녀가 되도록 한다(마 28:18-20, 막 16:15, 행 1:8).

●●● 실천사항: 기독교적 세계관을 갖고 예수님의 지상명령인 온 천하, 모든 족속, 땅끝까지의 복음 전파를 위해 준비하는 월드 크리스천이 되도 록 도전한다. 준비하는 사람이 세계를 정복함을 알려 준다. 궁극적으로 하 나님께 영광 돌리는 멋진 인생을 살도록 이끈다(롬 14:8, 고전 10:31).

Park's Tip

1 고난을 하나님 앞에서 <u>스스로</u> 풀어 가고, 더 나아가 그것을 즐길 수 있는 내공을 자녀에게 길러 주어야 합니다.

2 성경은 지식을 자라게 할 뿐 아니라 정서와 영혼을 성숙시키는 유일한 책입니다.

3 자녀의 수준과 반응을 보면서 그에 맞는 방법으로 교육해야 가장 좋은 효과가 나타납니다.

4 자녀들이 독수리처럼 힘차게 비상하려면 지력, 체력, 정신력, 정서력, 인간관계 능력, 자기 관리 능력, 그리고 영성을 갖추어야 합니다.

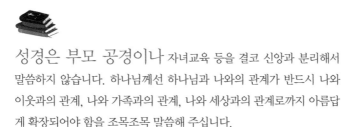

성경은 부모 공경이나 자녀교육 등을 결코 신앙과 분리해서 말씀하지 않습니다. 하나님께선 하나님과 나와의 관계가 반드시 나와 이웃과의 관계, 나와 가족과의 관계, 나와 세상과의 관계로까지 아름답게 확장되어야 함을 조목조목 말씀해 주십니다.

세계는 지금
전인교육으로 간다

세계화 시대에 영어 공부가 필수라고 하지만,
그보다 중요한 공부는 '부모와의 대화' 입니다.

변해야 산다

한국에서 변하지 않는 게 하나 있다면 '뜨거운 교육열'일 겁니다. 예나 지금이나 한국 부모들은 자식교육에 관한 한 헌신적이며 열정적입니다. 이 열정은 한국의 발전을 앞당기는 주요 원인이 되었습니다. 빠른 시간 안에 인재가 양성되었고, 한국은 수년 내에 지식 기반 사회가 되었습니다.

그러나 21세기에 접어들면서 시대는 지식 경제사회가 아니라 창의력 경제사회로 변했고, 세계는 하나의 지구촌으로 연결되어 마우스 클릭 하나면 모든 이의 삶이 노출되는 세상이 되었습니다.

이게 무슨 뜻입니까? 더 이상 골방 안에서의 '획일적 교육'으로는 국제적인 인재를 양성할 수 없게 되었다는 뜻이며, 지식보다는 창의력과 인성, 도덕성, 논리성, 인간관계 능력 등이 중시되는 세상이 왔다는 뜻입니다.

그런데도 우리 부모들은 이와 같은 전인적 교육보다는 여전히 사교육 중심의 획일화 교육에 치중하고 있습니다. 그러다 보니 국제사회에서는 한국인들에 대해 다음과 같은 평가를 내리기도 합니다.

"질문이 없고, '예스맨'이 많으며, 자기감정 조절 능력이 부족하다. 특히 자발적 문제 해결 능력이 떨어진다."

창의력이 뛰어난 우리 민족의 자녀들이 이런 평가를 받는 것은 전적으로 기성세대의 잘못된 교육 때문입니다. 세계는 이미 전인교육으로 방향성을 잡고 달려간 지 한참인데, 우리만 아직도 골방에 자녀들을 가둬 놓은 채 극단적인 이기주의자로 키우고 있다는 것입니다. 이렇게 되면 우리 자녀들은 국제사회에서 도무지 설 자리가 없습니다. 그렇게 자란 자녀들은 한국 사회에서는 인정받을지 몰라도 머잖아 한계 상황에 부딪치고 맙니다.

이제 부모 된 우리가 깨어나야 합니다. 정부에서 완벽한 교육개혁을 해 주기만 기다리지 말고, 부모들이 먼저 깨어 소중한 우리 자녀들의 앞날을 축복으로 인도해 줄 수 있어야 합니다. 분위기에 휩쓸리거나 상대적이고 세속적인 기준에 휘말리지 말고, 중심을 잡고 자녀들을 지도해 줄 수 있어야 합니다. 자녀들은 우리에게 맡겨 주신 하나님의 선물이며, 우리는 그들을 잘 지도하고 양육해야 할 책임이 있는 청지기이기 때문입니다.

그렇다면 어떻게 해야 '전인교육'을 실시할 수 있을까요? 이를 알아 가기 위해 미국 교육과 유대인 교육의 장점들을 살펴보도록 하겠습니다.

자녀의 감춰진 은사를 길러 주는 것이 전인교육

전인교육이란 무엇입니까? 말 그대로 하면 "인간이 지니고 있는 모든 자질을 전면적으로 육성하려는 교육"입니다. 2장에서 말씀드린 일곱 가지 실력을 두루두루 계발해 주는 균형 잡힌 교육을 말합니다. 그러나 한국의 공교육과 사교육은 공리주의나 입신 출세주의를 동기로 지식 중심의 교육을 행해 왔습니다. 인간의 내적 성품을 아름답게 키워 주거나 창의성, 체력, 예술적 감수성을 계발시켜 주지는 못했다는 것입니다.

이렇게 전인교육이 이루어지지 않으면 두 가지 폐해가 나타납니다.

첫째, 인간관계 능력이나 자기 관리 능력, 체력 등이 계발되지 않아 기형적인 사람이 되고 맙니다. 공부를 잘해서 판검사가 되더라도, 다행히 음악적 감수성이 부모의 눈에 띄어 음악교육을 잘 받아 유명한 피아니스트가 되더라도, 사회성이나 자기 관리 능력 등이 계발되지 않은 경우에는 결국 성공적인 인생을 살 만한 기반이 조성되지 못하는 것입니다.

둘째, 특히 한국적 상황에 해당되는 경우지만, 지식 습득의 능력 외에

다른 능력을 지닌 아이들의 우수성이 사장되고 맙니다. 하나님께서 각 아이들에게 허락해 주신 달란트가 달란트로서의 빛을 발휘하지 못하는 것입니다. 미술, 음악, 체육, 문학 등 우리 아이들에게는 한 가지씩의 특별한 재능들이 주어져 있습니다. 그런데 그 재능은 전인교육의 장이 펼쳐지는 곳이 아니고서는 웬만해선 나타날 수가 없습니다.

그런 면에서 전인교육이 펼쳐지는 곳에는 반드시 '영재교육'이 이루어집니다. 특별한 재능을 보이게 되면, 그 재능을 계속 계발해 주는 시스템이 제도적으로 보장되기 때문입니다.

미국 교육의 현장 안에는 이러한 영재교육 시스템이 비교적 잘 갖추어져 있습니다. 그들에게는 한국인들과는 달리 반드시 대학부터 들어가야 한다는 강박관념이 없기 때문에 특별한 재능이 발견되면 필요에 따라서 대학을 포기하고 재능을 계발하는 일에 힘쓰게 합니다. 골프를 잘 치면 골프를 전문적으로 배우며 그 능력을 계발할 수 있도록 사람을 키워 줍니다. 이런 시스템 속에서 타이거우즈 같은 세계적인 골프 선수가 배출될 수 있었습니다.

우리도 이와 같은 교육 시스템을 마련해야 합니다. 그러나 그 시스템이 갖추어지기까지 사회적인 분위기에 휩쓸려 다른 아이들과 똑같이 우리 아이들을 사교육 시스템 안으로 몰아넣지 말고 부모가 중심을 잡고 자녀들에게 부여된 독특한 재능을 발견하고 계발해 줘야 합니다.

작은아들 명진이의 이야기를 들려드리겠습니다. 이 아들은 어려서부터 그림 그리는 것을 매우 좋아했습니다. 워낙 섬세하고 감수성이 풍부한 아이였기에 아내와 저는 유심히 아들을 살펴보곤 했습니다. 그런데 어느 날부턴가 이런 생각이 들었습니다. '명진이는 영재다. 그림에 대해서는….' 아이의 나이 두세 살 때 이 생각을 갖게 된 저는 결정적으로 명진이의 초등학교 2학년 때 그림에 관한 아이의 영재성을 확신하게 되었습니다. 당시 명진이가 그려 온 '패밀리 트리' 속의 할아버지와 할머니, 아빠, 엄마, 일가친척들과 형제들의 모습은 너무도 생생했습니다. 각자의 얼굴 크기가 손톱만 한데, 한 사람 한 사람이 누구인지를 정확히 알아챌 만큼 개성이 실려 있는 얼굴이었습니다. 깜짝 놀란 제가 아내에게 물었습니다.

"대체, 이 아이가 어떻게 이런 그림을 그렸지?"

아내는 명진이가 가족사진을 보면서 사진에 나온 특징을 보고 캐리커처(caricature: 어떤 사람이나 사물의 특징을 과장하여 우스꽝스럽게 풍자한 그림)를 그렸다고 전해 주었습니다.

"여보, 명진이는 그림 쪽이야. 확실히 이 아이는 그림에 대한 영재성이 있어. 이쪽으로 밀어 줘야겠는 걸?"

사실 명진이는 두뇌가 명석해서 모든 교과목에도 뛰어난 성적을 보였습니다. 하지만 우리 부부는 명진이가 그림 그리는 것에 탁월성을 보일 뿐 아니라 가장 즐겁게 그 길을 갈 수 있다는 데에 이견이 없었습니다. 아들에게도 계속해서 그 분야의 길을 개척해 갈 것을 권하며 적극적으로 격려했습니다. 결국 아들은 대학도 UCLA 미술과에 진학하게 되었습니다.

그러다 대학 2학년 때 샌디에고에서 전 세계 만화인들이 모여 컨퍼런스와 만화쇼를 하는 만화박람회가 열렸는데, 여기서 이 아이는 자신이 그린 그림을 미국에서 매우 유명한 만화가에게 보여 주게 됩니다. 자신이 좋아하는 분야의 일이었기에 명진이는 용기 있게 접근할 수 있었던 것입니다.

"나는 평생 그림을 그리고 싶어 하는 사람입니다. 그리고 나는 당신을 존경합니다. 내 그림을 보고 평가해 주십시오."

그 그림을 본 만화가의 반응이 어떠했을까요? 그는 아들의 그림을 본 후 2-3번의 테스트 과정을 더 거치더니 "함께 일하자"는 놀랄 만한 제의를 해 왔습니다. 아무리 재능이 있어도 가만히 두면 땅 속에 묻혀 둔 진주가 될 수 있는데, 명진이는 자신의 재능을 세상에 알릴 순간을 포착하여 도전했고, 마침내 그 도전이 '기회'가 되어 돌아왔습니다.

"아빠, 내가 이 사람에게 배우면 참 좋을 것 같은데 아빠는 어떻게 생각하세요?"

자신의 진로를 상의하는 명진이에게 저는 주저없이 대답했습니다.

"명진아, 이것은 기회다. 기회는 자주 오는 것이 아니다. 만화의 권위자라 할 수 있는 그 사람과 함께 일하면서 그를 멘토로 삼을 수 있다면 그것만큼 축복이 어디 있겠니? 함께 일하는 게 좋을 것 같다."

"그렇게 되면, 학교를 휴학해야 하는데요?"

"학교는 아무 때나 다시 다닐 수 있어. 하지만 이런 기회는 사주 오지 않아. 학교를 휴학하고 그 사람 밑에 가서 배우도록 해라."

제 동의를 얻은 명진이는 휴학계를 제출했습니다. 그러자 학교 친구들이 아들에게 이렇게 물어 왔다고 합니다.

"네 아빠, 한국 사람 맞냐?"

대학 졸업장 따는 것을 무엇보다 중요시 여기는 한국인 아버지가 어떻게 휴학계 내는 데에 동의할 수 있냐는 말입니다. 그러나 저는 학위 취득보다는 아이의 재능을 100퍼센트 키우고 성장시킬 방법에 관심을 더 많이 기울이며 자녀들을 지도해 왔습니다. 물론 학위 취득에 대해 완전히 무시한다는 뜻은 아닙니다. 다만 때론 학위 취득보다 더 중요한 기회가 자녀들에게 찾아올 수 있음을 알고, 그 길을 안내해 줘야 하는 사람이 부모라고 믿는 것입니다.

명진이는 그 후 그 만화가 밑으로 들어가 그의 일을 도우며 2년간을 만화 공부에 집중했습니다. 그러다가 예술 계통의 하버드대학이라고 불리는 파세데나(Pasedena) 아트 스쿨에 우수한 성적으로 입학해 애니메이션 공부를 2년 정도 집중적으로 했고, 졸업 1년을 앞둔 시점에서 유명한 모 만화 회사로부터 스카우트 제의를 받게 되었습니다. 그때 명진이는 또다시 제게 상담을 해 왔습니다.

"그래, 1년 후면 졸업인데, 네 생각은 어떠니?"

"저는 그곳에 가서 그림을 그리는 것도 좋다고 생각해요."

"그래, 기회가 왔으니 그 기회를 잡거라. 기회는 아무 때나 오는 게 아니다."

그렇게 해서 명진이는 또다시 졸업 1년을 앞둔 채 회사에 들어가 그림을 그렸고, 그때 그린 그림이 크게 히트를 친 「툼 레이더스(Tomb Raiders)」였습니다. 명진이는 펜슬러(만화의 스케치를 하는 사람)로서 그 작품이 공전의 히트를 치는 데 크게 기여할 수 있었습니다.

그 후 아들은 한 단계씩 자신의 분야를 계발하고 업그레이드하면서 능력을 신장시켜 나갔습니다. 현재는 컨셉 아티스트로서 즐겁게 자기 능력을 발휘할 뿐 아니라 존경받는 인물로서 영향력을 끼치며 일하고 있습니다. '하나님의 영광'을 위하여 살되, 자신의 적성과 소질에 맞는 분야를 철저히 계발하도록 이끌었던 영재교육의 결과입니다. 그 아이는 어느새 30대 중반인데도 아직 대학을 완전히 마치지 못했습니다. 그래도 아들이나 저는 행복합니다.

저는, 부모야말로 우리 자녀들의 영재성을 계발하고 키워 줄 최초의 사람이라고 믿습니다. 부모만큼 자녀들을 어려서부터 봐 온 사람이 없으며, 부모만큼 자녀 곁에서 조언해 줄 사람이 없습니다. 따라서 부모인 우리가 중심을 잡고 자녀들의 특성과 은사를 계발해 줘야 합니다. 그렇지 않으면 보석처럼 빛나게 될 우리 자녀들의 영재성이 바다 속 깊은 모래 속에 감춰져 버릴 것이기 때문입니다.

전인교육의 장은 가정이다

전인교육으로 가는 두 번째 길은 '가정교육'입니다. 가정은 작은 사회이기에, 가정 안에서 모든 것을 배울 수 있습니다. 이 말은 가정교육이 실패하면 인생을 사는 데 필요한 많은 것을 배우지 못할 수도 있다는 뜻입니다. 사람을 배려하는 따뜻한 인간관계 능력, 사람의 마음을 읽어 내는 정서력 등 2장에서 얘기한 일곱 가지 실력이 배양되는 곳이 바로 가정입니다.

저는 전 세계 0.3퍼센트의 인구에 불과한 유대인들이 노벨상을 30퍼센트나 받아 가고 전 세계에 강력한 영향력을 행사하는 유력한 사람들로 두각을 나타내는 원인이 바로 그들의 '가정교육'에 있다는 데 전적으로 동의합니다. 유대인들은 절대적으로 교육 중심적으로 살아가는 민족입니다. 아니, 그들은 절대적으로 가정교육에 집중합니다. 우리처럼 돈으로 의탁교육을 하려 하지 않습니다.

세 살 때부터 아이들을 유치원에 맡기지만, 아이들 교육에 관한 한 부모들은 최선을 다해 참여합니다. 아버지는 지성과 재능, 직업과 적성 계발 등의 IQ 관련 교육을 맡고, 어머니는 정서를 심어 주는 EQ 교육을 책임집니다. 부부가 모세오경을 중심으로 한 성경 말씀을 토대로 합동작전을 펼치면서 자녀를 전인교육의 장으로 인도합니다(현용수 박사의 「유대인 아버지의 4차원 영재교육」 참조).

성경은 삶의 전 분야를 다루기 때문에 성경을 가정교육의 교재로 삼는 다는 것은 자연히 전인적 교육을 한다는 것을 뜻합니다. 이때 이루어지는 이스라엘 가정교육의 토대가 바로 신명기 6장 4-9절까지의 말씀입니다.

> "이스라엘아 들으라 우리 하나님 여호와는 오직 유일한 여호와이
> 시니 너는 마음을 다하고 뜻을 다하고 힘을 다하여 네 하나님 여호와
> 를 사랑하라 오늘 내가 네게 명하는 이 말씀을 너는 마음에 새기고 네
> 자녀에게 부지런히 가르치며 집에 앉았을 때에든지 길을 갈 때에든지
> 누워 있을 때에든지 일어날 때에든지 이 말씀을 강론할 것이며 너는
> 또 그것을 네 손목에 매어 기호를 삼으며 네 미간에 붙여 표로 삼고 또
> 네 집 문설주와 바깥문에 기록할지니라."

이 말씀을 바탕으로 유대인들은 철저하게 가정교육을 시킵니다. 아버지가 어린 자녀를 무릎에 앉힌 채 책을 읽어 주고, 온 가족이 밥상에 둘러앉아 감사기도를 하며, 온 가족이 식사 후에 함께 질문하며 토론합니다. 교육이 일상 속에 자연스럽게 스며들어가 있습니다. 아버지는 교육비를 대려고 그저 열심히 돈만 벌어 오고, 엄마는 열심히 학원을 알아 봐서 학원등록을 시켜 주며, 아이는 열심히 골방에 앉아 공부만 해야 하는 우리의 교육 현실과는 다른 모습입니다.

자녀들을 향한 그들의 교육법을 보십시오. 보통의 유대인 아이들은 무

척 시끄럽고 말이 많은 편입니다. 우리 식으로 보자면 어른 말에 토를 달고 말대꾸하는 버릇 없는 아이들이지요. 이 아이들이 보편적으로 그런 모습을 띠는 것은 어려서부터 어른과 똑같이 토론하고 결론을 이끌어 내는 대화식 교육법에 익숙해 있기 때문입니다. 물건 하나를 사더라도 왜 사야 하는지를 설명하고, 또 왜 사선 안 되는지를 설명 듣는 문화가 어른과 아이 사이에 형성되어 있습니다. 이런 문화 속에서 자녀들을 키운다는 것은 이스라엘 부모들에게 상당한 인내와 끈기가 요구된다는 뜻입니다. 하지만 부모들은 그런 과정을 당연하게 감당하면서 아이들에게 생각하는 능력과 사회성을 키워 줍니다. 학교에서도 그저 선생님이 가르치는 대로 받아 적고 외우는 식의 수업이 아니라 선생님과 끊임없이 질문하고 대화하는 수업이 이루어집니다. 어떻게 이런 식의 수업이 가능하겠습니까? 가정 안에서 토론 문화가 활발하게 이루어지고 있기 때문입니다.

이렇게 자라다 보니 그들은 국제사회에서도 자신의 전문성에 창의력과 논리성을 가미해 펼쳐 낼 줄 압니다. 사람을 감동시키고 움직일 줄 아는 리더로서의 덕목을 나타내는 것입니다.

저는 한국에서 시행되는 입시 중심의 교육이 우리 아이들을 극단적인 이기주의자로 키웠을 뿐 아니라, 자녀들의 위대한 잠재력을 다 사장시켰다고 생각합니다. 부모들의 출세 지향적인 가치관, 성적으로 비교하고 입시 결과로 평가하는 세속적 가치관이 우리 아이들을 망치고 있습니다. 믿음이 있다는 부모들조차도 세상의 욕망을 따라 자녀들을 지도하기에 갈

피를 못 잡고 아이들을 학원가로만 내몰고 있습니다. 남들에게 뒤지지 않을 특별한 교육을 시키려고 하다 보니 우리 아이들은 오히려 특별한 능력을 발휘하지 못하고 있는 것입니다.

그러나 기억하십시오. 유대인들의 교육법은 결코 특별하지 않습니다. 그들은 그저 성경 말씀대로 자녀들을 가르칩니다. 자녀교육의 현장에 함께하고, 자녀들과 대화하며, 자녀들을 위해 인내합니다. 자녀들과 놀아 주고 자녀들에게 책을 읽어 줄 뿐입니다.

그런데 그렇게 자란 자녀들이 세상을 정복하고 영향력을 끼친다는 사실을 기억합시다. 가장 좋은 교육은 가정 안에 있고 성경 안에 있습니다. 이 가장 좋은 교육법으로 우리 자녀들에게 숨겨진 위대한 능력을 계발시켜 주고, 아름다운 정서를 키워 주며, 강인한 몸과 영혼을 만들어 가도록 격려하는 사람, 그 사람이 바로 부모인 우리입니다.

Park's Tip

1. 분위기에 휩쓸리거나 상대적이고 세속적인 기준에 휘말리지 말아야 중심을 잡고 자녀들을 지도해 줄 수 있습니다.

2. 부모야말로 우리 자녀들의 영재성을 계발하고 키워 줄 최초의 사람입니다. 부모만큼 자녀들을 어려서부터 봐 온 사람이 없으며, 부모만큼 자녀 곁에서 조언해 줄 사람이 없습니다.

3. 가정교육은 전인교육으로 가는 길입니다. 가정은 작은 사회이기에, 가정 안에서 모든 것을 배울 수 있습니다.

4. 성경은 삶의 전 분야를 다루고 있기에 성경을 가정교육의 교재로 삼는다는 것은 곧 전인교육을 한다는 것을 뜻합니다.

유대인들의 교육법은 결코 특별하지 않습니다. 그들은 단지 성경 말씀대로 자녀들을 가르칩니다. 자녀교육의 현장에 함께하고, 자녀들과 대화하며, 자녀들을 위해 인내합니다. 자녀들과 놀아 주고 자녀들에게 책을 읽어 줄 뿐입니다. 그런데 그렇게 자란 자녀들이 세상을 정복하고 영향력을 끼친다는 사실입니다. 가장 좋은 교육은 가정 안에 있고 성경 안에 있습니다.

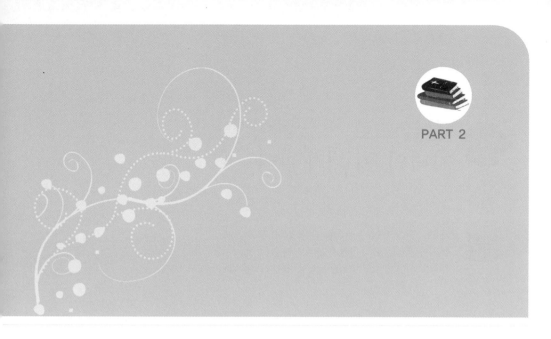

PART 2

자녀에게 축복된 삶을
보여 주는 역할 모델이 되라

믿음으로 지도해야
자녀의 미래가 밝다

4

대화는 절대적으로 눈높이를 낮춰야만 이루어집니다.
아이는 경험해 보지 못한 어른의 세계를 이해할 수 없지만,
부모는 지나온 시절의 눈높이로 내려갈 수 있습니다.

교육 목표부터 점검하자

저는 1장과 2장에서 유대인 교육과 미국 교육의 우수성을 말씀드렸습니다. 그렇다고 해서 미국 교육과 유대인 교육이 모두 탁월하다는 뜻은 아닙니다. 미국 교육과 유대인 교육 속에 흐르는 전인교육의 정신을 본받자는 뜻입니다. 아니, 그들의 전인교육 속에 흐르는 근본 원리인 '성경 중심적 교육'을 도입해야 한다는 것입니다.

미국은 건국 이후 성경을 근본으로 교육해 온 나라입니다. 그 결과 수많은 인재를 배출할 수 있었습니다. 그러나 언제부턴가 미국은 성경의 원

리 대신 인본주의적 원리로 교육정책을 실시했고, 그 이후 교육 현장에는 탈선과 마약과 방황이 주된 화두가 되었습니다. 아무리 전인교육을 실시한다 해도 성경이 아니라 인본주의를 바탕으로 교육하면 이와 같은 결과를 얻을 수 있습니다.

그래서 자녀를 교육할 때 더욱 성경교육이 중요합니다. 미국식 교육이든, 유대식 교육이든, 한국식 교육이든 중요한 것은 성경 말씀에 근거한 교육을 실시하고 있는가입니다. 성경 말씀은 우리 자녀들에게 "좌로나 우로나 치우치지 않게 하여 어디로 가든지 형통하게 하는"(수 1:7) 유일한 가르침이기 때문입니다.

그렇다면 성경적으로 교육한다는 것은 무엇을 뜻할까요?

앞서도 언급했지만, 무엇보다 자녀교육의 목표를 바로잡는 일입니다. 우리는 힘써 교육하되 세상의 목적을 따라 자녀들을 교육합니다. 즉, 입신출세(立身出世)를 위한 목적으로 자녀들을 교육합니다.

"너, 그렇게라도 공부해야 돈벌이 할 거 아니니?"

"야, 돈 벌어서 남 주냐? 다 너 잘 먹고 잘 살게 하기 위해서 과외도 하고 그러는 거지. 좋은 대학 들어가야 번듯한 일자리라도 나올 거 아냐?"

크리스천 학부모들조차도 이와 같은 세속적 가치관을 따라 자녀들을 지도하기 때문에 입시 위주, 성적 위주의 교육을 할 수밖에 없습니다.

그러나 성경은 출세하고 돈 잘 벌기 위한 목적으로 우리 자녀들을 지도하라고 말씀하지 않습니다. 오히려 "세상의 안목과 육신의 정욕과 이생의 자랑"(요일 2:16)을 멀리할 것을 강조합니다. 그 대신 우리 자녀들을 세상의 '빛과 소금'으로 키워서 영향력 있는 삶을 살게 하도록 이끕니다. 하나님 나라와 의를 위해 살 사람, 믿음의 영향력으로 머리가 될 사람, 사랑으로 세상을 녹이고 하나님의 능력으로 세상을 변화시킬 사람을 키우라고 말씀합니다. 이것이 자녀교육의 목표라는 것입니다.

이런 목표로 자녀교육을 시행하는 부모라면 결코 사교육 열풍에 휩쓸릴 수가 없습니다. 명문대 출신을 선호하는 한국 현실 속에서도, 중심을 잡고 자녀의 내적 실력을 키워 주는 일에 주력할 줄 압니다. 주일은 도서관 가는 날이 아니라 당연히 교회에 가서 예배 드리는 날임을 확신 있게 가르칩니다. 그리고 그렇게 자란 자녀가 결국은 세계를 날아다니는 독수리가 됩니다.

저는 미국뿐 아니라 전 세계를 돌아다니면서 한 가지 사실을 깨달은 게 있습니다. 한국을 떠나기만 하면 '서울대' 출신과 '전남대' 출신이 종이 한 장 차이도 안 된다는 사실입니다. 저는 전남대 의대를 다니는 동안 '서울대 콤플렉스'에 시달린 적이 있습니다. 서울의대를 목표로 공부하다가 전남의대를 갔기 때문에 우리나라 최고의 대학이라는 서울의대 출신 친구들이 마냥 부럽기만 했습니다. 그런데 미국에 가 보니 세계인들은 저를 한국에 있는 의과대학 출신이라고만 평가하지, 서울대냐 전남대냐를 놓고 평가하지 않았습니다. 오히려 서울의대에서 평점 B를 받은 사람보다 전남의대에서 평점 A를 받은 사람이 더 실력 있다고 평가해 주었습니다.

같은 한국인이며 같은 의대를 나왔는데, 한 사람은 B이고 한 사람은 A를 맞았으니 당연히 A학점을 받은 사람의 실력을 월등하다 평가해 주는 것입니다.

이제 세계는 점점 하나의 지구촌이 되어 가고 있습니다. 우리 자녀들은 한국을 베이스캠프로 삼아 전 세계를 내 나라처럼 돌아다닐 것입니다. 그런 세상에서 그들은 한국 내에서의 지엽적 평가보다는 세계 속에서의 객관적인 평가를 더 많이 받게 됩니다. 좀 더 좋은 학교, 좀 더 성적이 우수한 자가 들어가는 명문 학교 출신보다는 전공에 대한 객관적 실력이 중요한 잣대가 된다는 뜻입니다. 대학은 베이스캠프입니다. 전진기지입니다. 정상으로 가는 도중에 베이스캠프가 좀 높은 곳에 있느냐 낮은 곳에 있느냐는 큰 문제가 아닙니다. 인생을 길게 보면 정상이 중요하지 베이스캠프의 높낮이는 중요하지 않습니다.

따라서 부모는 자녀교육에 관한 좀 더 큰 그림을 갖고 대학 입학 전까지 자녀들의 영재성을 적극 계발해 주고, 전인교육을 실시하며, 세상에서 빛과 소금의 역할을 하기 위한 내적 실력을 키워 주는 데에 집중해야 합니다. 일류 대학이 아니라 이류 대학을 가더라도 그렇게 자란 자녀가 결국은 글로벌 리더, 세계적인 인재로 빛을 발휘할 것입니다. 철저하게 성경적 가치관으로 자녀들을 지도할수록 우리 자녀들은 잘될 수밖에 없습니다.

저는 어린 시절, 어머니의 그와 같은 가르침을 받은 적이 있습니다. 사내 아이들이라 우리의 놀이는 역시 전쟁놀이인 경우가 많았습니다. 그런데 이상하게도 전쟁놀이를 할 때면 저는 꼭 얻어터져야만 했습니다. 제 친구의 형이 대장을 맡으면, 그 형은 제 친구를 대령에 임명했고, 또 제 친구의 동생을 소령으로 임명했습니다. 자연히 저는 소위밖에 할 수가 없었으니 친구 동생에게 매일 맞아 터졌습니다.

그렇게 맞고 집으로 돌아올 때면 제 눈엔 늘 눈물이 고여 있었습니다. 이런 경우 보통의 어머니들의 반응은 어떠합니까? "사내로 태어나서 왜 맞고 사냐?"며 호통을 칩니다. "너는 창피하지도 않냐?"며 야단치기도 하고, 어떤 어머니는 내 자식을 홀대한 친구의 형을 찾아가 혼내기도 합니다. 실제로 전 미국 영부인이었던 힐러리의 어머니는 힐러리를 향해 이런 말을 하며 키웠다고 합니다.

"남이 너를 괴롭히면 맞서 때려라!"

그러나 우리 어머니는 결코 그렇게 가르치지 않았습니다. 어머니는 맞고 돌아온 제게 이렇게 말씀하셨습니다.

"수웅아, 친구들한테 지고 싶지 않지? 이기고 싶지? 네가 친구들한테 이기는 길은 딱 한 가지다. 그건 바로 네가 예수님을 잘 믿는 거야. 예수님을 잘 믿는 것이 모든 싸움에서 이기는 길이야."

예수님을 잘 믿는 길이 이기는 길이라면, 친구들과 전쟁놀이 할 때도 예수님처럼 반응하는 게 옳았습니다. 한 대 때린다고 같이 때리거나, 소위만 시켜 준다고 전쟁놀이 못하겠다며 친구들을 멀리하는 것이 아니었습니다. 당시로선 어머니의 가르침을 정확히 이해하진 못했지만 어쨌든 저는 어머니의 말씀을 들으면서 친구들과 잘 어울려 노는 법을 터득해 갔던 것이 분명합니다.

그리고 지금까지도 어머니의 그 가르침 덕분에 저는 남에게 져 주는 것을 어려워하지 않으며 살고 있습니다. 많은 사람들이 저를 친구로 생각하고 힘든 일이 있을 때 찾아와 상담하며 자신의 연약함들을 고백할 수 있는 이유가 있다면, 저는 바로 그와 같은 어머니의 가르침 덕분이라 믿습니다. 세속적 가치관과는 전혀 다른 성경적 가치관을 지녔던 어머니의 교육 덕분에 저는 전 세계에 수많은 사람들을 친구로 얻어 살아가고 있는 것입니다.

먼저 본을 보이는 것이 곧 교육

자녀교육의 목표를 성경에서 찾았으면, 자녀교육의 내용 또한 성경 속에서 찾아 가야 합니다. 성경 말씀은 살아 움직여 역사하는 힘을 갖기에 성경을 근거로 자녀들을 교육할 때라야 강력한 교육 효과가 나타납니다. 그런데 성경 말씀으로 자녀들을 지도해서 축복받으려면 부모인 우리의 자세부터 성경적이어야 합니다. 가령, 자녀교육과 관련해 가정 안에서 반드시 붙잡아야 할 내용인 에베소서 6장 1-3절 말씀을 자녀들에게 가르친다고 쳐 봅시다.

"자녀들아 주 안에서 너희 부모에게 순종하라 이것이 옳으니라 네 아버지와 어머니를 공경하라 이것은 약속이 있는 첫 계명이니 이로써 네가 잘되고 땅에서 장수하리라."

이 말씀에는 놀라운 약속이 담겨 있습니다. 부모에게 순종하는 자식은 땅에서 잘될 뿐만 아니라 오래 산다는 것입니다. 하나님께선 이토록 놀라운 약속을 하실 만큼 자녀들이 부모의 가르침에 순종할 때 축복된 삶으로 가는 기초가 이루어짐을 말씀하고 싶어 하십니다. 따라서 자녀가 잘되길 원한다면 부모는 자녀들에게 이 말씀을 읽어 주며 순종을 가르쳐야 합니다.

하지만 이 말씀을 율법적인 자세로 가르친다면 그것은 성경적인 교육법이 아닙니다. 성경적인 교육이란 마땅히 행할 바를 강요함으로 가르치는 교육이 아니라 감동과 감화를 통한 변화로서의 교육이어야 합니다. 즉, 부모의 삶이 성경적이어서 순종하지 않을 수 없도록 이끄는 게 참된 성경적 교육이라는 것입니다. 사기 치고 거짓말하며 툭하면 폭력이나 일삼는 부모가 어떻게 성경을 펼친 채 "자녀들아 주 안에서 너희 부모에게 순종하라"고 가르칠 수 있겠습니까? 만약 그렇게 한다면 자녀들은 "땅에서 잘되고 장수하는" 축복의 기회를 얻기는커녕, 부모에게 반항하고 교회를 떠나 방황하는 자식으로 자라 가고 맙니다. 아무리 성경을 펼쳐 가르쳐도 부모의 삶이 뒷받침되지 않으면 그 교육은 울리는 메아리가 되고 마

는 것입니다.

그래서 저는 청소년 사역, 청년 사역을 하다가 가정생활 세미나를 하지 않을 수 없었습니다. 청소년 문제, 청년의 문제가 발생한 발화 지점이 결국 가정이기에, 가정이 치유되고 회복되어야만 이 땅의 청소년들이 회복될 수 있음을 알았기 때문입니다.

내 자녀가 부모를 공경하는 자녀가 되고, 그럼으로써 하나님께서 약속하신 축복을 누리길 원하십니까? 그렇다면 먼저 해야 할 일이 있습니다. 부모가 먼저 하나님 앞에 바로 서야 합니다. 자녀를 위해 하나님께 기도하고, 하나님께 헌신하는 모습을 보여야 합니다. 이웃을 사랑으로 섬기며, 자녀들을 인격적으로 대하는 모습을 보여 줘야 합니다. 무엇보다 부부가 서로 사랑하는 모습을 보여 주는 것이야말로 자녀들에게는 최고의 선물입니다. 부부가 서로 사랑하는 모습을 볼 때 자녀들은 최고의 정서적 안정감을 느끼며, 성경으로 교육하는 부모의 권위를 마음 깊이 인정하며 받아들일 수 있기 때문입니다. 결국, 회복된 부부관계 속에서라야 최고의 자녀교육이 이루어질 수 있습니다.

동서고금을 막론하고 자녀교육의 최고 텍스트는 성경입니다. 그런데 성경을 가르치는 우리의 자세 또한 성경적일 때 가장 교육 효과가 크게 나타납니다.

부족하지만 이와 관련한 저희집 이야기를 들려드리겠습니다.

저희는 이민 생활을 하는 8년 동안 부모님을 모시고 산 적이 있습니다. 큰딸아이와 두 아들이 초등학교, 중학교, 고등학교 시절을 보내는 내내 한 집에서 3대가 살았던 셈입니다.

사실 미국에서 시부모님을 모시고 사는 일은 한국에서 시부모님을 모시고 사는 개념과 달라서 더 어렵습니다. 그런데도 아내는 부모님을 참 잘 모셨습니다. 더군다나 저희 어머님은 옛날 어르신이라 장남인 저를 많이 의지하셨습니다. 이 경우, 대부분은 고부갈등이 일어납니다.

하지만 감사하게도 저희집에선 고부갈등이 없었습니다. 어머님은 심지어 누구에게 가든 "미경 어미처럼만 하면 된다"며 며느리를 자랑하셨습니다. 그만큼 아내는 최선을 다할 뿐 아니라 진심으로 부모님을 공경하며 모셨습니다. 저 또한 부모님 앞에서 제 아내를 한 번이라도 핀잔 주거나 약점을 지적해 본 적이 없었습니다. 부모님과 대화를 나눌 때면 항상 "저 사람 때문에 내가 이렇게 축복받고, 이렇게 행복할 수 있었다"는 말씀을 드렸습니다. 그래서 어머님은 며느리에게 늘 고마워하셨습니다. 며느리 때문에 아들이 행복하다니까 고마우실 수밖에요. 게다가 저희 부부는 8년 동안 한 번도 어머님 앞에서 사소하게 다투거나 큰 소리로 싸우는 모습을 보여 드리지 않았습니다. 그래서 어머님께서는 어느 날 이렇게 말씀하셨습니다.

"참, 니들은 천국 생활한다. 어떻게 그동안 한 번도 안 싸우고 세 아이들도 오순도순 잘 기르냐?"

그 말씀을 하시며 어머님께서는 행복한 미소를 지으셨습니다. 사실 부부가 어떻게 안 싸울 수가 있겠습니까? 저희 부부 역시 가끔씩 싸우며 살았습니다. 그러나 부모님을 모시고 살았기 때문에 부모님 마음에 근심을 드릴까 싶어 둘 다 몰래 싸우는 일에 협력하며 싸웠습니다. 만약 아내가 그런 일에 협조해 주지 않았다면 버럭버럭 화내는 소리가 안방에서 흘러나왔을 것입니다.

"내가 지금 이 마당에 소리 안 지르게 생겼어!"

하지만 아내는 남편의 부모님을 자신의 부모님처럼 섬기는 자세를 잃지 않았습니다. 진심을 다해 부모님을 섬겼던 것입니다.

그렇게 살다가 부모님께서는 한국 어르신들이 많이 사는 노인 아파트로 이사하시게 되었습니다. 함께 계속 살자고 권했지만, "늙으면 친구가 좋은 법"이라며 친구 분들이 많이 사시는 아파트로 거처를 옮기셨습니다.

그런데 하루는 아버님으로부터 전화가 걸려 왔습니다. 무척 기분 좋은 목소리셨습니다.

"야, 너 아들 잘 키웠더라."

"네? 무슨 말씀이세요?"

아버님께선 자초지종을 설명해 주셨습니다. 큰아들 형진이가 대학에 들어간 후 아르바이트를 해서 처음으로 돈을 벌자 이 돈을 어떻게 쓸까 고민하다가 할아버지를 찾아갔던가 봅니다.

"할아버지, 오늘 제가 식사 대접해 드릴게요."

"아니, 네가 무슨 돈이 있어서 그러냐?"

"아르바이트 해서 돈 벌었어요."

"아니, 그렇게 번 돈이면 더 귀한 돈인데, 네가 용돈으로 써도 되고, 아빠 엄마도 있는데 왜 할아버지, 할머니를 대접하려고 그러냐?"

그러자 형진이가 이렇게 대답했다는 겁니다.

"할아버지, 할머니가 우리집에서 제일 어른이시잖아요. 그러니까 처음 번 돈은 할아버지를 위해 쓰는 게 가장 좋은 일이라고 생각해요."

손자로부터 그 말씀을 들은 할아버지는 감동이 되어 다시 묻습니다.

"아비가 그렇게 하라고 가르치더냐?"

"아니요. 아버지는 모르세요."

형진이의 대답에 아버님은 더욱 감동이 되셨던가 봅니다. 아버지가 시켜서도 아니고 손자가 스스로 할아버지를 대접하고 싶은 마음이 들어 왔다니 그러실 수밖에요.

저는 아버님으로부터 그 말씀을 들으며 하나님께 감사했습니다. 우리 부부가 아버님, 어머님을 진심으로 공경하려 애썼던 모습이 아이들에게 산 교육이 되어 열매 맺고 있음을 느꼈기 때문입니다.

아이들은 이렇게 보고 배운다는 사실을 뼈저리게 실감했습니다. 백문(百聞)이 불여일견(不如一見)이란 말처럼, 백 번 잔소리를 듣는 것보다 한 번 부모의 모습을 보는 게 훨씬 교육 효과가 큰 법입니다. 자녀교육의 성경적 자세는 이처럼 본을 보여 주는 데 있습니다.

부모가 꼭 가져야 할 또 하나의 자세

자녀를 교육할 때 부모가 마땅히 가져야 할 성경적 자세 중 하나는 '대화'입니다.

하나님께선 대화의 중요성을 성경 전체를 통해 말씀합니다. 성경에서 가장 강조하는 것이 무엇입니까? 기도입니다. 하나님께선 기도 시간을 통해 우리의 이야기를 들으시고, 우리에게 또 말씀하십니다. 하나님과 우리의 관계를 소통하게 하는 중요한 열쇠가 바로 대화인 것입니다.

부모와 자녀의 관계에서도 대화가 빠지면 소통이 이루어지지 않습니다. 대화가 원활하게 이루어져야만 건강한 자녀교육도 이루어집니다.

그러나 많은 가정에서는 자녀들과의 원활한 대화가 이루어지지 않습니다. 부모 세대부터가 그 부모와 허물 없이 대화하며 자라나지 못했기에 자녀들과 대화 나누는 것을 어려워합니다. 언젠가 김진홍 목사님께서 들려주셨던 다음의 이야기는 보통 한국인 가정에서의 모습을 보여 주는 것 같아 여기에 소개합니다.

김진홍 목사님 친구 분 중에 미국에서 목회하는 분이 계셨다고 합니다. 그런데 목회에만 전념하다 보니 그 아드님이 잘못된 길을 가게 되어 마약중독자가 되있습니다. 그 아들을 살리기 위해 목사님은 미국에서 하는 갱생 프로그램에도 참여시켜 봤지만 아무 소용이 없었습니다. 결국 그 아들은 대학에도 진학 못하고 폐인이 되어 갔습니다. 그러다가 김진홍 목사님이 생각나서 남양만에 있는 두레마을로 아들을 보내며 "제발 우리 아들을 살려 달라"고 호소했습니다.

갑자기 두레마을로 찾아온 그 아들은 돈도 뺏기고 여권도 뺏긴 채 일만 해야 했습니다. 그러니 얼마나 힘들었겠습니까? 온갖 반항을 하며 "마약을 달라"고 울부짖었지만, 아무도 눈 하나 깜짝하지 않은 채 계속 일만 시켰다고 합니다. 그러기를 한 달. 그때부터 몸에서 마약기가 빠져나가자 정신이 돌아오기 시작했고, 이 아이는 울며 회개했습니다. 한 번 울음이 터지자 그 울음은 5-6일 동안 계속되었습니다. 그때 김진홍 목사님께서 찾아가 이렇게 말씀하셨습니다.

"야, 먹으려면 신약이나 구약을 먹지 왜 마약을 먹었냐? 네가 이렇게 변하고 나니깐 참 착한 아인데 옛날엔 왜 그렇게 말썽을 많이 피웠냐?"

그 물음에 그 아들이 뭐라고 대답했을까요?

"제가 바보였습니다. 그런데 제가 어리석어서 그런 짓을 했지만, 한편 우리 가정에 조금만 대화가 있었으면 하는 생각도 듭니다. 아버지는 목회한다고 미국에 가신 뒤로 항상 목회만 열심히 하셨지 어린 자녀들을 돌보지 않았습니다. 집에 가면 항상 아무도 없었어요. 그래서 저는 혼자 밖을 떠돌아다니게 되었고, 그러던 중에 불량배들과 어울려 놀다 마약쟁이가 되고 만 거예요. 저는요 이날 이때껏 아버지와 대화를 나눈 기억이 없습니다."

회개를 하던 그 아이가 이렇게 이야기하자 김진홍 목사님께서도 갑자기 위기감이 드셨다고 합니다. 당신에게도 아들이 둘 있는데, 바쁘게 사역하기로 치면 김진홍 목사님도 둘째가라면 서러울 정도이기에 아이들과 대화를 나눠 본 적이 없었던 것입니다.

집으로 돌아오자마자 목사님은 당장 아이들을 불렀답니다.

"얘들아?"

"왜 부르셨습니까?"

"대화하자. 아버지가 너희들하고 대화하려고 불렀다."

그러자 잠시 침묵하던 아들이 이렇게 말합니다.

"아버지, 저 지금 숙제하느라고 바쁜데요."

"숙제가 문제가 아니야, 지금. 대화가 없으면 곤란하다니깐. 미국에서 온 그 아이 생각나지? 그 형이 아빠하고 대화를 못해서 마약쟁이가 됐대. 너희들도 아빠가 바쁜 목사인데 나중에 커서 이 아빠를 원망하게 되면 내 책임이 얼마나 크겠냐?"

목사님의 말씀에 둘째아들이 곰곰 생각하더니 이렇게 답합니다.

"그래요? 그러면 대화를 빨리 끝내 주세요."

아들의 반응에 어이가 없으신 목사님께선 다시 말씀합니다.

"야, 대화를 어떻게 시간 정해서 하냐? 대화는 자유롭게 하는 거야."

하지만 아무리 자유롭게 대화하려고 해도 삼부자가 앉아서 안 하던 대화를 하려니 대화가 이어지지 않았다고 합니다.

"니들 밥 먹었냐?"

"예, 밥 먹었어요."

"…."

"니들 아빠한테 할 말 없냐?"

"없어요."

"…."

"그럼 가서 숙제해라."

결국, 목사님과 아들의 대화는 그렇게 끝을 맺었다고 합니다.

어떻습니까? 솔직히 당신 가정의 모습이 이렇지는 않습니까?

우리 세대도 그렇지만 부모님들 세대는 더더욱 자녀들과의 대화가 없었습니다. 우리가 그렇게 자랐기 때문에 어떤 면에선 자녀들과 어떻게 대화를 나눠야 하는지 잘 모르는 부모가 많습니다. 기껏 대화를 나눈다고 해봐야 부모가 실컷 고생한 이야기를 영웅담처럼 들려주며 일방적으로 훈계하는 경우가 많습니다.

"니들은 행복한 줄 알아라. 우리는 얼마나 고생한 줄 아느냐? 밥도 굶고 다녔다. 니들은 메이커 신발만 신으려 하지? 우린 어릴 때 고무신이 하도 귀해서 고무신을 들고 다녔다."

이렇게 대화를 열어 가면 아이들은 자신들을 위축되게 하는 그 얘기에 마음 문을 닫아 버립니다.

미국에 이민 온 부모 세대도 마찬가집니다. LA 시내를 지나가면서 이렇게 말하지요.

"내가 미국에 와 가지고 참 고생이 많았다. 그래서 내가 로스엔젤레스를 휩쓸고 주름잡고 누비고 다닌 거 아냐?"

그러면 자식이 감동이 되어 묻습니다.

"와! 그러셨어요? 그때 뭐 하셨는데요?"

"휩쓸었다는 것은 저 빌딩을 청소했다는 것이고, 주름잡은 것은 봉제공장에서 주름잡았다는 것이며, 누빈 것은 세탁소에서 옷을 누볐다는 거다. 내가 그렇게 고생해서 오늘에 이른 거다. 니네는 행복한 줄 알고 정신 좀 바짝 차리고 살아."

대화가 이렇게 이어지면서 아이들은 열었던 마음을 다시 닫아 버리고 맙니다. 즉, 한국에서든 미국에서든 전형적인 한국식 대화로는 아이들과의 대화를 이어 갈 수가 없다는 것입니다.

그러면 어떻게 대화해야 할까요? 우리는 그 답을 성경에서 봅니다.

우리는 하나님께 대화할 때 하나님 수준으로 대화할 수 없습니다. 모두자기 수준에서 기도합니다. 자기 수준의 언어로 표현합니다. 어떤 사람은 징징거리고 어떤 사람은 울부짖습니다. 어떤 사람은 숙연한 어투로 기도하고, 어떤 사람은 편지를 쓰듯 정갈한 언어로 기도합니다. 모두 자기 식의 언어입니다. 우리가 감히 하나님의 언어를 흉내 낼 수도 따라할 수도 없기에 우리 식으로 대화하는 것입니다.

하지만 이렇게 우리 수준에 맞게 대화해도 하나님과 대화하는 것에 막힘이 없습니다. 부족함이 없습니다. 왜 그렇습니까? 하나님께서는 이미 낮고 천한 우리와 대화하기 위해 하늘 보좌를 버리고 이 땅에 오셨기 때문입니다. 예수님께선 육신의 옷을 입고 이 땅에 오셔서 우리의 소리에 귀 기울이시며 우리의 얘기를 들으셨습니다. 그 하나님께선 지금도 우리가 대화를 신청할 때면 언제든 우리의 눈높이로 내려오셔서 우리 이야기를 들으십니다.

 여기서 알 수 있는 사실이 무엇입니까? 대화는 절대적으로 눈높이를 낮춰야만 이루어진다는 것입니다. 아이는 경험해 보지 못한 어른의 세계를 이해할 수 없지만, 부모는 지나온 시절의 눈높이로 내려갈 수 있습니다. 물론 문화 차이, 세대 차이는 있지만 그 역시 대화하려는 의지만 있다면 얼마든지 극복이 가능합니다. 유교적 권위주의를 버리고 아이의 마음으로 내려가 함께 공감해 주고 함께 고민해 주는 마음만 있다면 대화의 물꼬는 얼마든지 트일 수 있습니다.

자녀들이 어릴수록 대화하는 습관을 기르시기 바랍니다. 자녀가 많이 컸더라도 지금부터 대화를 시작하시기 바랍니다. 대화하는 가정의 자녀는 절대로 엇나가지 않을 뿐더러, 대화를 나누는 그 자체가 자녀에게는 또 하나의 인간관계 능력을 습득해 가는 길이 될 수 있습니다.

청지기적 헌신이 자녀를 잘되게 한다

가정생활세미나에서 부모 자식 간의 대화를 강조하면 어떤 부모들은 이런 반응을 보내기도 합니다.

"장로님, 제가 시간이 절대적으로 없어요. 정말 저는 자식을 위해 최선을 다해 일하고 있는데 여기서 더 어떻게 하라는 건지 모르겠어요. 솔직히 저는 쉬는 시간이 아쉬울 만큼 힘들게 살아요."

한국 부모들은 어느 나라 부모들보다 바쁩니다. 잦은 야근 문화와 회식 문화로 아빠들은 아이들과 따로 시간을 내기가 어렵다고 볼멘소리를 할 만합니다.

한국 엄마들도 마찬가집니다. 요즘은 맞벌이하는 부부가 많기 때문에 일하는 엄마들의 시간적 중압감에 대한 스트레스 지수는 누구보다 높습니다.

그럼에도 불구하고 우리는 자녀들과 함께 시간 보내는 일을 포기해선 안 됩니다. 아무리 바빠도 자녀들과의 대화 시간을 긴급하게 중요한 일로 여긴다면 얼마든지 시간을 낼 수 있기 때문입니다. 우리의 시간 관리 스케줄을 살펴보십시오. 아무리 바빠도 엄마들은 시간을 내어 파마를 하고, 아무리 바빠도 아빠들은 친구들을 만나 술 한 잔을 합니다.

"장로님, 그거야 당연하지요. 사회생활하려면 자기 자신을 관리해 줘야 해요. 당연히 파마도 하고, 쇼핑도 하면서 옷도 사야지요."

"친구들 만나 술 한 잔 하면서 스트레스를 풀지 않으면 제가 어떻게 그 많은 스트레스를 감당합니까?"

그런데 잘 생각해 보십시오. 이것은 부모가 생존의 문제라고까지 여기며 쇼핑하고 술 마시는 그 시간만큼도 자녀들과의 대화 시간을 중요하게 여기지 않는다는 뜻입니다. '대화야 하면 좋지만, 못해도 그만 아닌가? 그게 뭐 죽고 사는 문제는 아니니까'라고 생각하기 때문에 다른 바쁜 스케줄에 밀려 자녀들과의 대화 시간을 포기해 버리는 것입니다.

하지만 우리가 그렇게 생각하며 대화를 미루는 그때, 자녀들의 마음속엔 서서히 어둠의 그림자가 드리워지고 있음을 알아야 합니다. 부모를 향한 마음 문이 서서히 닫히며, 세상을 향한 건강한 소통 능력을 상실해 갈 수도 있습니다.

사실 적잖은 부모들이 자녀들과 놀아 주거나 대화하는 시간을 일종의 낭비라고 생각합니다. 하지만 기억해야 합니다. 세계화 시대에 영어 공부를 필수적으로 해야 한다고 하지만, 그보다 더 중요한 공부는 '부모와의 대화'라는 사실입니다. 가정 안에서 이루어지는 이 시간이야말로 우리 자녀들의 정서와 정신력과 인간관계 능력이 키워지는 시간들입니다.

그렇다고 하루 10시간씩 자녀들과 시간을 보내라는 뜻은 아닙니다. 하루 1시간, 아니 하루 20분씩이라도 자녀들과 깊은 교제와 사랑을 나누는 시간을 마련하라는 얘기입니다. 하루 10시간을 함께 보내며 싸우는 것보다 하루 20분, 아니 10분씩만 집중해서 놀아 주거나 고민을 들어 주며 대화를 나누고 책을 읽어 주는 것이 훨씬 좋습니다. 물론 이런 부모의 모습을 몸으로 익히기 위해서는 한국 교회에서 열리는 아버지학교나 어머니학교에 참석해서 부모로서의 실력을 키우는 것이 아주 중요합니다.

저는 그것이 부모가 자녀를 위해 마땅히 지녀야 할 청지기적 헌신의 태도라고 믿습니다.

현대로 올수록 많은 부모들은 자녀들을 자신의 자아실현 대상으로 여기면서 자녀들을 골방으로 집어넣습니다. 좋은 것 먹이고, 입히면서 좋은 대학에 진학하도록 하기 위한 최상의 서비스를 제공합니다. 자녀들을 왕처럼 받듭니다.

그러면서도 정작 자녀들을 위해 필요한 헌신은 보여 주지 못합니다. 자녀들을 위해 기도하고, 자녀들을 위해 그들의 말을 집중해서 들어 주며, 자녀들을 위해 시간을 내 주지 못합니다. 내가 누릴 수 있는 시간을 포기한 채 함께 책 읽고 토론하는 시간을 갖지 않습니다.

청지기는 보살피고 양육하는 그 일 자체를 기쁨으로 여기는 사람입니다. 기쁨으로 섬기고 살피며 관리합니다. 그런 후에 청지기가 최종적으로 하는 고백이 무엇입니까?

"우리는 무익한 종이라 우리가 하여야 할 일을 한 것뿐이라"(눅 17:10).

하나님의 귀한 자녀를 맡아 양육하는 우리에게도 이와 같은 고백이 있어야 합니다. 자녀를 위해 기쁨으로 헌신하고, 기쁨으로 눈높이를 낮추어 대화하는 그런 자세가 있어야 합니다. 그리고 그런 후에 하나님께 이렇게 고백할 수 있어야 합니다.

"하나님, 제가 무엇이관대 이 귀한 자녀들을 양육할 기회를 허락하셨습니까? 제가 자녀들을 하나님의 사람으로 자라도록 이끌 수 있었던 시간은 제 생애 가장 큰 기쁨이요 영광의 시간이었습니다."

Park's Tip

1. 성경 말씀으로 자녀들을 지도해서 축복받으려면 부모인 우리부터 성경적이어야 합니다.

2. 성경적인 교육이란 마땅히 행할 바를 강요함으로 가르치는 교육이 아니라 감동과 감화를 통한 변화로서의 교육이어야 합니다.

3. 부부가 서로 사랑하는 모습을 보여 주는 것이 자녀들에게 줄 수 있는 최고의 선물입니다.

4. 자녀를 위해 기쁨으로 헌신하고, 눈높이를 낮추어 대화하는 자세를 가져야 합니다.

축제의 가정에서
축복의 자녀가 나온다

5

격려의 문화, 대화의 문화가 가정 안에 자리잡을 때,
우리의 자녀들은 기쁨의 사람, 축복의 사람으로 자랄 것입니다.

가정을 기쁨의 현장으로 만들라

아이들을 키워 보면 모든 아이들의 개성이 다름에도 불구하고 공통적인 사실 하나를 발견할 수 있습니다. 세상의 모든 아이들은 부모로부터 집중적인 관심과 사랑을 받을 때 가장 기뻐하고, 부모의 무관심과 애정 결핍 속에 자랄 때 가장 슬퍼한다는 사실입니다. 내성적인 아이든 외향적인 아이든, 모든 아이들은 사랑을 필요로 합니다. 그것도 진심 어리고 격려가 담긴 사랑을 원합니다. 부모가 그런 사랑을 보내 줄 때 아이들의 정서는 건강하게 자라며, 막혔던 대화 또한 실타래처럼 잘 풀리게 되어 있습니다.

저는 이민 생활을 하는 동안 누구보다 바쁜 날들을 보낸 아버지였습니다. 아버지로서의 권위의식도 강해서 아이들을 다소 억압하며 키우기도 했습니다. 그러다가 미국에서 열린 가정세미나를 통해 '아버지란 어떤 존재이고 자녀들은 아버지에게 무엇을 원하는가'에 대해 아주 조금 눈을 뜬 일이 있습니다. 그 일을 계기로 저는 어떻게든 시간을 쪼개어 아이들과 놀아 주며 아이들 눈높이에서 대화하려고 노력하게 되었습니다.

그렇게 해서 생겨난 우리 가정의 축제가 하나 있습니다. 이른바 '스페셜 데이'가 그것입니다. 한 달에 한 번씩 열리는 이 날이 되면 저는 세 아이 중 한 아이와 데이트를 했습니다. 첫째 달엔 큰딸아이와, 둘째 달엔 큰아들과, 셋째 달엔 작은아들과 시간을 갖는 것입니다.

우리의 데이트 코스는 이러했습니다. 먼저 아이와 함께 집을 나서면 우리는 아이가 원하는 음식점으로 들어가 무조건 아이가 원하는 식사를 합니다. 왜냐하면 그날은 스페셜 데이이기 때문입니다. 식사를 하고 나면 그때부턴 아이가 하고 싶었던 말을 무조건 들어 줍니다. 학교생활, 친구 관계, 가정에서 있었던 일…. 이때 주의할 점은 절대로 아이를 훈계하거나 혼내지 않는다는 것입니다. 왜냐하면 그날은 스페셜 데이이기 때문입니다. 만약 이때마저 "아빠가 그렇게 하면 안 된다고 했잖아. 너는 왜 그 모양이니?"라며 타박을 주면 아이는 정말 아빠를 향한 마음 문을 닫아 버릴 수 있습니다. 그래서 저는 이날만큼은 항상 "아, 그랬어? 아, 그랬구나"라며 아이의 얘기를 경청해 들었습니다. 아이 역시 이날만 되면 너무나 신나서 평소 안 하던 얘기도 쏟아 붓습니다. 얘기가 끝나면 우리는 장난감 가게로 갑니다.

"미리 얘기했던 대로 20불 내외에서 사야 한다."

평소 검소와 절제를 가르쳤던 만큼, 그날 역시 과한 장난감은 안 사 주지만 20불 정도의 기준에서는 아이가 사고 싶었던 장난감을 맘껏 사게 해줍니다. 물론 아이는 미리 무엇을 살까 고민하며 살 품목을 정해 놓는 경우가 많았습니다.

자신의 장난감을 산 뒤에는 집에 남아 있는 다른 형제들을 위해 소박한 선물도 고르게 합니다. 이 역시 미리 형제들로부터 주문을 받아 사 갑니다.

그렇게 해서 집으로 돌아가 선물을 나눠 주면 그날은 온 가족의 축제날이 되고, 빨리 다음달 스페셜 데이가 오기만을 아이들은 기다리곤 했습니다.

저의 절친한 친구 하나는 스페셜 데이에 아들이 좋아하는 박찬호 선수의 야구 시합에 함께 참여해서 아들에게 다음처럼 물었다고 합니다.

"오늘 야구시합에서 최고 VIP는 누구지?"

"오늘요? 당연히 박찬호죠."

아들의 말에 아빠는 고개를 저으며 이렇게 말했다고 합니다.

"아니, 박찬호가 아니라 바로 너야."

어떻습니까? 이런 식의 대화가 오가는 가정이라면 대화가 안 될 수가 있을까요? 자녀의 자아상이 건강하지 않을 수가 없습니다.

라브리의 창시자 에디스 쉐퍼는 "가정은 추억의 박물관이다"라고 말했습니다. 그의 말처럼 가정은 부모와 자녀와의 관계 속에서 아름다운 추억이 만들어지는 곳이며, 그런 추억이 쌓여 갈 때 우리 자녀들에게선 창의력이 계발되고 정서가 키워지며 세상을 향해 나아갈 내성이 길러집니다.

그러나 많은 사람들은 가정을 '추억의 박물관'이 아니라 '저주의 박물관', '분노의 박물관'으로 기억합니다. 부모와의 관계가 비뚤어져 있기 때문입니다.

저희 가정은 한동안 '스페셜 데이'를 하다가 몇 년 전부터는 '패밀리 타임'이란 시간을 갖고 있습니다. 아들딸이 결혼하면서 흩어져 살게 되니까 한 달에 한 번씩 패밀리 타임이란 이름으로 모임을 갖는 것입니다. 이 모임을 몇 번 하고 나자 가족들이 이 모임을 얼마나 좋아하는지 한 번은 해외에 나가 있는 제게 큰며느리로부터 이메일이 왔습니다. 무조건적인 정을 주고받는 한국인의 기질보다는 이성적이며 합리적인 미국인 스타일의 성향을 더 많이 가진 큰며느리였기에 그 이메일은 제게 다소 의외였습니다.

"아버님, 우리 패밀리 타임을 가진 지가 한 달이 넘었어요. 아버님은 언제쯤 미국에 들어오시나요? 제가 형제들한테 연락을 다 해 놓았어요. 아버지께서 들어오시는 그 다음날 저녁에 패밀리 타임을 가졌으면 해요.

아버님, 어머님 시간이 어떻게 되세요?"

이 이메일 속에는 패밀리 타임을 간절히 기다리는 며느리의 마음이 녹아들어 있었기에 제 마음이 참 좋았습니다. 보고 싶고 만나고 싶어 하는 마음이 전해져 왔습니다.

우리는 패밀리 타임을 할 때마다 음식 준비에 대한 여자들의 부담을 줄이기 위해 음식은 주문해서 먹곤 합니다. 외식하는 것도 괜찮겠다 싶지만, 그렇게 되면 너무 시끄러워서 이야기를 나눌 새가 없으므로 집에서 음식을 주문해 먹고 교제를 나누는 것입니다.

교제를 나눌 때는 특별히 그날의 주인공을 위한 시간을 따로 갖습니다. 저희 집 같은 경우는 식구가 많다 보니 매월 한 번씩 모이는 패밀리 타임이 되면 그 달에 생일을 맞거나 결혼 기념일을 맞이하는 주인공이 생기기 때문입니다.

몇 달 전엔 제 생일을 축하하며 패밀리 타임을 가졌습니다. 그날 역시 여느 때처럼 생일인 저를 위해 가족들이 모두 돌아가면서 한마디씩 합니다. '아빠' 하면 떠오르는 단어를 이야기하면서 생일을 맞은 아빠에게 축복해 주는 것입니다.

큰딸아이는 제게 '영원한 낙천주의자'라는 단어를 선물해 주었습니다.

"아빠는 항상 긍정적이시잖아요. 어떤 경우에도 제게 '조금도 염려할 필요가 없다. 모든 것이 다 잘될 것이다'라는 말씀을 하셨죠. 또, 아빠는 누구를 보더라도 긍정적인 면을 찾아서 긍정적으로 얘기하곤 하시잖아요. 그래서 주변 사람들이 모두 아빠를 좋아하는 것 같아요."

큰딸에 이어 큰아들은 '마태복음 6장 33절' 말씀을 제게 선물해 주었습니다.

"아빠의 삶을 뒤돌아보면 아빠는 언제나 이 말씀대로 살아오셨어요. 아빠는 끝없는 믿음으로 하나님 나라와 의를 구하며 전진해 오셨죠. 이 말씀이 아빠의 모든 삶의 기초가 되었어요. 아빠는 이 말씀에 근거한 낙천주의자이며 이 말씀에 근거한 낙관론자세요. 말씀에 근거한 긍정의 힘이 아빠의 삶 속엔 언제나 흐른답니다."

뒤이어 작은아들은 제게 'humble'(겸손함, 검소함)이란 단어를 선물했습니다.

"아빠, 제가 볼 때 아빠는 그동안 돈도 많이 버셨어요. 그렇지만 그렇게 많은 돈으로 다른 아빠들이 큰 집과 큰 차를 살 때 아빠는 오히려 작은 집으로 이사하고 작은 차를 이용하면서 검소하고 겸손하게 사셨어요. 그러고는 남을 돕거나 남을 살리는 일에 돈을 쓰셨어요. 겸손과 검소함이 몸에 밴 삶을 사신 분이 아빠세요."

저의 세 자녀로부터 이와 같은 엄청난 칭찬의 선물을 받고 얼마나 감사하고 기뻤는지 모릅니다. 그런데 거기에 이어 이번엔 큰사위가 제게 '우리 집 멋진 치어리더'(big cheerleader for his family)라는 단어를 선물해 주었습니다.

"아버님은 항상 모든 가족을 지지해 주시며, 도와주고, 격려해 주고,

세워 주는 데 탁월한 분이세요. 큰아드님께는 좋은 설교자가 될 수 있도록 도와주셨고, 작은아드님한테는 만화를 그리는 것에 머물지 않고 애니메이션, 비디오 게임 등 꿈을 향해 다음 프로젝트를 밀고 나갈 수 있도록 격려해 주셨어요. 가족의 진로를 한 번도 막지 않고 잘 나아갈 수 있도록 응원해 준 분이 아버님이세요."

큰사위에 이어 이번엔 큰며느리의 선물이 주어졌습니다.

"아버님은 카운슬러예요. 아마도 시아버지로부터 성교육을 받고, 성에 대한 충고를 들을 수 있는 며느리는 저밖에 없을 걸요? 신혼 첫날밤에 대해 코치를 받고, 묻고, 또 그에 대한 분명한 답을 얻을 수 있는 사람은 흔치 않을 거예요. 아버님은 정말 대단한 카운슬러세요."

아닌 게 아니라 우리 집 가족이 된 사람에게 저는 성교육을 반드시 시키곤 합니다. 신혼 첫날밤에 대한 교육뿐 아니라 때때로 부부관계가 잘 이루어지고 있는지에 대해서도 허물없이 묻곤 나눕니다. 성(性)이 부부의 행복한 삶을 가로막는 장애물이 아니라 부부의 행복한 삶을 돕는 윤활유가 되도록 이 문제를 공개적으로 지도하는 것입니다.

큰며느리의 이야기가 끝나자 이번엔 작은며느리가 제게 '비저너리' (visionary) 라는 단어를 선물했습니다.

"아버님은 꿈과 비전을 가진 분이세요. 아버님은 항상 할 수 없는 것을 바라보셨고, 실제로 그걸 이루어 가는 분이세요. 그래서 남편도 항상 5년 후, 10년 후에 대한 계획을 세우고 꿈꾸며 달려가는 삶을 사는 것 같아요.

목적과 꿈을 갖고 살도록 교훈하신 아버님의 교육 덕분이예요."

어떻습니까? 여섯 자식이 모인 자리에서 이런 이야기를 듣는 제 심정이 어떠했을지 충분히 짐작이 가시지요? 저는 그날 세상에서 제일 행복한 아버지가 되었습니다. 아니, 행복한 아버지뿐 아니라 행복한 남편도 되었습니다. 제 아내가 제게 전해 준 선물 때문입니다.

아내는 제게 'sweet and caring husband'라는 단어를 주었습니다.

"당신은 아내를 늘 달콤하게 보살펴 주는 남편이예요. 당신은 훌륭한 의사이며 또 훌륭한 남편이예요. 다른 사람에게도 좋은 카운슬러지만 아내에게도 역시 좋은 카운슬러예요. 그리고 당신은 훌륭한 하나님의 사람이예요. 당신은 늘 누군가를 돕기를 기뻐하는 사람이잖아요."

아마 눈치 빠른 독자라면 벌써 제가 이 이야기를 소개하는 이유를 알아챘을 겁니다. 저는 이런 '패밀리 타임'을 통해 가족 한 사람 한 사람이 행복해지고 자기 존재 됨에 대해 자부심을 느끼는 것 외의 또 다른 열매가 있음을 말씀드리고 싶었습니다. 바로 격려 문화, 대화 문화가 가정 안에 자리 잡는 데 이보다 더 좋은 이벤트가 없다는 것입니다. 이런 시간이야말로 상대방을 세워 주되 어떻게 세워 줘야 하는지 우리 자녀들이 자연스럽게 보고 배우며 자라 갈 수 있게 해 줍니다. 이와 같은 추억의 시간, 축제의 시간들을 통해 자녀들에겐 인간관계 능력이 심어집니다. 이 패밀리 타임을 통해 우리 자녀들은 기쁨의 사람, 축복의 사람으로 사라 갑니다.

✿ 아름다운 크리스마스 이야기

가정이 축제의 현장이 되면 자녀들 가슴에 기쁨이 샘솟습니다. 그리고 그 기쁨은 세상을 이겨 나가는 양분이 됩니다. 반면, 우울과 불안과 걱정과 분노의 양분을 먹고 자란 자녀의 영혼은 언젠가 병들 확률이 높습니다. 부모의 가정 경영 스타일에 따라 자녀들의 미래 또한 달라지는 것입니다.

저희 집에선 가정이 축제의 현장이 되게 하되, 자녀들의 성장 과정에 따라 축제의 차원을 달리 조절해 보았습니다. 크리스마스 행사만 해도 아이들이 어렸을 때는 아기 예수님의 탄생을 축하하며 아이들에게 선물을 주는 것으로 축제를 즐겼습니다. 그런데 10여 년 전에 아내가 문득 이런 말을 해 왔습니다.

"여보, 이제는 우리 아이들도 어린애가 아닌데 크리스마스 축제를 다른 방식으로 바꿔 보는 게 어떻겠어요? 이제는 우리끼리 선물을 나누며 기뻐할 단계가 아닌 것 같아요."

아내의 말인즉, 이제는 아이들이 모두 장성했으니 가족들끼리 선물을 교환하는 방식의 크리스마스 축제를 다르게 바꿔 보자는 것이었습니다. 차라리 선물을 마련할 돈을 모아 어려운 이웃이나 선교사님 가정에 보내 드리자는 취지였지요.

"그래, 바로 그거다!"

저는 아내의 말에 곧 동의하고는 그 해 크리스마스에 이런 통보를 했습니다.

"너희들 엄마 아빠, 또 가족들에게 선물하려고 했던 돈을 봉투에 담아 갖고 와라. 대신 아무도 선물을 사 오진 마라."

그렇게 해서 돈을 모아 보니 몇 천 불이 되었습니다. 물론 그중 상당액은 부모인 저희가 본을 보이기 위해 내놓은 물질로, 아내는 이를 위해 1년 동안 돈을 모아 두었습니다.

"오늘은 예수님께서 우리를 위해 이 땅에 오신 날이다. 하늘 보좌를 버리시고 이 땅의 낮고 천한 곳으로 내려오신 날이니 우리도 이제부터는 예수님의 뜻을 따라서 이 돈으로 1년 내내 가난한 사람, 불쌍한 사람, 물질이 필요한 사람, 또 선교사님들과 나누도록 하자. 너희들이 돈을 냈으니 너희들도 그 일에 동참하는 것이다."

제가 이와 같은 선포를 하자 아이들 얼굴이 환해졌습니다. 선물을 주고받을 때보다 더한 기쁨의 빛이 가족 모두에게 피어올랐습니다. 그 후 아내는 1년 내내 이 돈을 분배하는 일을 담당했고, 다음 해 크리스마스가 되면 그 돈의 사용 내역을 항목별로 보고하는 일을 10년 이상 해 오고 있습니다.

물론 이 날이 되면 아직 어린 손자, 손녀들에겐 조그마한 선물을 주며 크리스마스의 축제를 만끽하도록 합니다. 그러나 성인이 된 자녀들에겐 자신의 것을 떼어 다른 사람을 섬길 기회를 줌으로써 더 큰 기쁨, 더 큰 축제를 누리도록 합니다. 섬김으로써 누릴 수 있는 기쁨이야말로 최고 수준의 기쁨임을 자녀들에게 알려 주면서 우리 자녀들이 축복의 통로로 살아갈 수 있도록 돕는 것입니다.

Park's Tip

1 세상의 모든 아이들은 부모로부터 집중적인 관심과 사랑을 받을 때 가장 기뻐하고, 부모의 무관심과 애정 결핍 속에 자랄 때 가장 슬퍼합니다.

2 가정은 부모와 자녀와의 관계 속에서 아름다운 추억이 만들어지는 곳입니다.

3 가정이 축제의 현장이 되면 자녀들 가슴에 기쁨이 샘솟습니다. 그리고 그 기쁨은 세상을 이겨 나가는 양분이 됩니다.

4 부모의 가정 경영 스타일에 따라 자녀들의 미래가 달라집니다.

PART 3

자녀의 비전 성취를 위한
디딤돌이 되라

6 마땅히 행할 길을 아이에게 가르치라

부모의 욕심이나 야망이 아니라 자녀의 적성과 기질, 능력을 따라
'마땅히 행할 길'을 자녀에게 가르치는 것이 부모의 역할입니다.

모든 자녀에게는 보석이 숨겨져 있다

성경에 나오는 자녀교육에 관한 말씀 중 가장 대표적인 말씀이 잠언 22
장 6절입니다.

　"마땅히 행할 길을 아이에게 가르치라 그리하면 늙어도 그것을 떠
　나지 아니하리라."

하나님께서는 부모를 향해 '마땅히 행할 길'을 자녀에게 가르치라고

명령하십니다.

그렇다면 여기서 '마땅히 행할 길'이란 어떤 길을 말씀할까요? 원문을 보면 두 가지 뜻으로 해석할 수 있습니다. "하나님께 아이를 드린다"는 의미가 첫 번째요, "장래를 위해 아이를 준비시킨다"는 의미가 두 번째입니다. 즉, 하나님을 떠나지 않도록 믿음의 길을 가르치고, 장차 사명의 길을 잘 갈 수 있도록 진로를 지도하는 사람이 바로 부모라는 것입니다. 이 둘을 한 문장으로 표현하면, "부모란 하나님께서 자녀에게 심어 놓으신 달란트, 은사, 재능들을 잘 발견해서 마땅히 가야 할 사명의 길을 가도록 지도하는 사람이다"라고 말할 수 있겠습니다.

우리가 인생을 사는 목적은 한마디로 '하나님 나라'입니다. 그런데 그 사명을 완수하기 위해 하나님께서는 각자에게 재능과 달란트를 주셨습니다. 즉, 하나님께서는 우리에게 사명의 길을 가게 하시되 억지로 가도록 하지 않는 분이신 것입니다. 사명에 맞는 재능과 은사를 주셔서 그 재능과 은사를 발휘하며 기쁜 마음으로 가도록 이끄십니다. 목회자로 살길 원하는 자녀에게는 남다른 목자의 마음과 능력을 주시며, 삭가로서 영광 돌리기 원하는 자녀에게는 뛰어난 문장력과 감수성을 그 속에 심어 주십니다. 이 말은 곧 우리 자녀들의 재능과 소질을 잘 살펴보면 이 아이가 장차 어떤 길을 가야 하는지가 보인다는 뜻입니다.

그러나 아이들은 이 사실을 잘 모릅니다. 자신의 특성과 재능을 따라 장래희망을 품지 않습니다. 분위기나 영웅심리에 따라 대통령도 되고 싶었다가 소방관도 되고 싶었다가를 반복합니다. 아이들은 말 그대로 아이들이기 때문입니다. 그런 아이들을 보며 부모가 "그래, 어차피 네 인생이니까 네 맘대로 해라"라고 말한다면 그것은 존중이 아니라 방임입니다. 잘못하면 아이의 인생이 낭비될 수도 있습니다.

저는 청년사역을 하면서 적지 않은 청년들이 진로 때문에 방황하는 모습을 보곤 했습니다. 불문과를 갔다가 휴학해서 전자공학과로 바꾸기도 하고, 의과대를 갔다가 도저히 자신과 적성이 안 맞아 자퇴서를 제출하기도 합니다.

그래서 부모는 평생 '육아일기'를 써야 합니다. 아이의 특성, 특기, 기질, 달란트 등을 어릴 때부터 잘 발견하고 계발시켜서 진로를 잘 찾아가도록 도와야 하는 책임이 부모에게 있기 때문입니다.

아직까지도 한국은 자녀의 진로 지도, 직업 지도를 어머니가 전적으로 도맡아 하는 것 같습니다. 그것도 학교 선생님과 상의하는 수준의 진로 지도가 고작입니다.

그러나 자녀의 진로 지도, 직업 지도는 아버지가 능동적으로 해야 합니다. 아버지는 돈 벌어 오는 사람이 아니라 그런 권리와 책임을 행사하는 사람입니다. 가정의 영적인 제사장일 뿐만 아니라 현실적이고 합리적으로 사회를 보는 눈을 가진 사람이 아버지가 아닙니까? 그러므로 아버지는 자녀의 개인적인 적성이나 기질, 성격, 달란트 등을 유심히 관찰함과 동시에 끊임없이 변화하는 사회와 직업 세계에 대한 최신 정보 등을 수집하여 자녀의 진로 선택을 도울 준비를 해야 합니다.

　만약 자녀의 적성과 기질이 정확하게 파악되지 않는다면 전문기관에서 적성검사를 받아 보는 것도 좋습니다. 적성검사는 자녀의 능력이나 흥미 분야를 찾아 주는 데서 그치는 게 아니라 자신의 적성에 근거한 다양한 직업군을 발견하게 해 준다는 점에서도 유익합니다. 무엇보다 자녀들이 자신의 적성과 달란트를 찾아 하고 싶은 일을 발견하게 되면 학업에 임하는 자세가 달라진다는 점에서 고무적입니다. 적성검사를 통해 학업 성취에 대한 동기부여가 되면 그때부터는 능동적으로 미래를 준비해 나가게 됩니다.

관찰하자 길이 보였다

　자녀들이 어린 시절에 아무리 공부를 잘하고, 또 삶을 성실하게 이끌었다 해도 적성이나 기질, 달란트에 안 맞는 직업을 선택하면 수많은 시간을 낭비와 고통 속에 보내게 됩니다. 자신의 능력을 발휘하지 못해 결국 직업 전선에서도 도태되고 수년이 지난 후에야 전공을 바꾸는 사례도 적지 않습니다.

　이를 방지할 수 있는 사람은 부모밖에 없습니다. 자신의 적성과 기질, 또 자녀를 향하신 하나님의 뜻을 기준으로 직업을 선택해 갈 수 있도록

때로는 부모가 적극 개입하여 지도하는 일이 필요합니다. 저희 큰딸아이의 경우를 예로 들어 보겠습니다.

저는 세 자녀 중에서도 그 아이를 제일 힘들 게 키웠던 것 같습니다. 부모로서 준비되지 않은 채 아이를 키우느라 실수가 많았기 때문입니다. 가정 사역에 대한 개념이 없던 때에 아이를 키우면서 본의 아니게 쓴 뿌리도 많이 심어 줬던 게 사실입니다.

굳이 변명하자면 위험한 미국 사회 속에 예쁜 딸아이를 내놓기가 겁이 났던 저는 무턱대고 엄격하게 통제하는 것으로 아이를 보호하려 했습니다. 데이트는 일체 금했고, 귀가 시간도 항상 간섭했습니다. 한참 꿈이 자라나는 해맑은 사춘기의 아이에게 일종의 억압을 한 셈입니다.

그러자 딸아이가 반항해 오기 시작했습니다. 아이가 어렸다면 권위주의적인 제 성격상 매라도 들었을 텐데, 사춘기 자녀에게 매를 들었다가는 부모 자격을 박탈하는 미국 사회 분위기상 매를 들 수도 없었습니다. 그래서 저는 심하게 야단치고 소리치는 것으로 아이를 훈계했습니다. 그러나 그 방법은 역효과만 낳았습니다. 딸아이가 그만 용수철이 튀어 오르듯 반항하며 아버지와 논쟁을 해 대는 것이었습니다.

그때 저는 알았습니다. 딸아이에게 엄청난 논리력이 있다는 것을요. 이 아이는 평소 공부도 매우 잘하는 아이였습니다. 고등학교 시절 내내 모든 과목에서 A학점을 한 번도 놓쳐 본 적이 없을 만큼 학습 면에서 뛰어났습

니다. 특히 암기 과목을 탁월하게 잘했습니다. 그런데 저와 말다툼을 하면서 보니 이 아이의 말주변과 논리력 또한 타의 추종을 불허했습니다. 딸아이와 매번 싸우면서도 저는 속으로 '진짜 말 잘한다. 진짜 논리적이다'라며 감탄할 정도였습니다. 상황이 그렇게 이어지자 어느 날 아내가 제게 충고했습니다.

"당신하고 쟤하고는 얘기하기 시작하면 불과 불이 부딪쳐서 대화재가 일어날 것 같아 안 되겠어요. 그러니 이젠 말로 하지 말고 편지로 교제해 보면 어떻겠어요?"

지혜로운 아내의 충고를 듣고 보니 과연 그 말이 맞았습니다. 저는 이때부터 하고 싶은 말이 있을 때마다 편지를 썼고, 딸아이 역시 그런 제게 편지를 보내 왔습니다.

그런데 편지를 주고받기 시작하면서 저는 딸아이에게 역정을 내는 게 아니라 감동을 느끼기 시작했습니다. 딸은 감동적으로 편지 쓰는 법을 터득하고 있었던 것입니다.

한 번은 퇴근하고 와서 보니 제 책상 위에 딸아이의 이런 편지가 놓여 있었습니다.

"이 세상에서 단 하나밖에 없는 사랑하는 아빠께."

희한한 일입니다. "아빠!"라고 불렀으면 아무 감동이 없었을 텐데, 그것도 편지로 "이 세상에서 단 하나밖에 없는 사랑하는"이라는 수식어를 듣고 보니 벌써 감동이 밀려왔습니다. 무슨 부탁을 하려는지 몰라도 제

마음은 이미 들어줄 준비가 되어 버렸습니다.

"아빠, 저는 학교생활을 마치고 돌아와 숙제도 끝냈고 공부도 다 끝냈어요. 동생들 숙제하는 것도 돌봐 주었고, 엄마 일도 도와드렸어요. 기쁘시죠? 그런데 아빠, 오늘밤 제 친한 친구 ○○의 생일 파티가 있어서 저도 거기 가고 싶어요. 원래는 새벽 2시까지 파티를 하기로 했는데 저는 아빠가 염려하실 게 걱정돼 밤 11시까지는 돌아올게요. 그러니 아빠도 저를 믿어 주시고 허락해 주세요. 저는 거기 가서 결코 나쁜 짓 하지 않아요. 그리고 꼭 11시까진 돌아올 게요."

이런 내용의 편지를 쓴 딸은 마지막에 다음처럼 덧붙였습니다.

"참, 친구 선물을 사려면 5불이 필요해요. 5불만 좀 주시면 안 될까요? 아빠, 저를 믿어 주세요. 저는 조신하게 잘 행동하고 돌아올 거예요. 아빠, 사랑해요. 이 세상에 단 하나밖에 없는 딸이 사랑하는 아빠께 드립니다."

사랑하는 딸의 이런 편지를 읽으니 아빠인 제 마음이 녹지 않을 수 없었습니다. 저는 그 편지를 들고 당장 딸아이 방에 들어갔습니다.

"얘야, 다른 친구들은 새벽 2시까지 파티를 하는데 왜 너만 11시에 오려고 하니? 너무 이르다. 12시까지 놀다가 와라."

평소 같았으면 "뭐? 11시? 어림도 없어. 적어도 10시까진 들어와야지!"라고 말했을 제가 딸아이 편지에 그만 마음이 녹아 어느새 귀가 시간을 연장해 주고 있었습니다. 그러고는 딸을 꼭 껴안아 주었습니다.

"나는 너를 믿어. 너는 내 사랑하는 딸이야."

딸아이는 그런 제 품에 안겨 행복한 미소를 지었습니다.

"참, 선물을 사야 한다고 했지? 5불 달라고? 에이, 5불은 너무 작다. 내가 20불을 줄 테니까 5불은 선물 사고 나머지는 네 용돈 써."

"와, 아빠, 정말요?"

딸아이는 너무 좋아서 아빠인 저를 꼭 껴안았습니다.

"아빠, 알러뷰."

이와 같은 일들이 이어지면서 딸아이와 저의 갈등은 차츰 해결되어 갔습니다. 그리고 저는 그 시절을 통해 딸아이가 앞으로 어떤 일을 하면 가장 좋을지 알게 되었습니다. 공부를 잘하면서도 특히 암기 과목에 뛰어나고, 교회 주일학교에서 카운슬링을 잘하며, 논리력에 뛰어날 뿐 아니라 글 쓰는 능력까지 있다면 어떤 직업이 생각나십니까?

네, 변호사입니다. 저는 딸아이를 보면서 변호사야말로 아이의 기질과 적성에 딱 부합하는 직업이란 확신이 들었습니다. 통째로 외워야 하는 법학 과목이며, 늘 글을 쓰고 말을 해야 하는 직업적인 특성상 딸아이의 기질과 능력 면에서 변호사는 잘 들어맞는 직업이 아닐 수 없었습니다.

그러나 정작 딸아이는 엄마를 닮아 약간 내성적이기도 해서 사회생활에 대한 의미를 크게 두지 않았습니다. UCLA 심리학과를 졸업할 무렵 "앞으로 뭐할 생각이니?"라고 묻는 제 질문에 딸은 이렇게 대답해 왔습니다.

"그냥, 졸업하고 일 좀 하다가 결혼이나 하죠 뭐."

유능한 인재인 딸아이가 왜 졸업 후에 "결혼이나 하겠다"고 말하는지

모를 일이었습니다. 그래서 저는 아이와 진지하게 이 부분을 놓고 이야기를 나누었습니다.

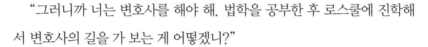

"애야, 너는 암기과목의 천재야."

"네, 좀 잘하는 편이죠."

"그리고 너는 상당히 논리력이 있고 말을 잘하지."

"그런 편이라고들 하더라고요."

"그리고 너는 글도 잘 쓴다."

"글 쓰는 걸 좋아하죠."

"그러니까 너는 변호사를 해야 해. 법학을 공부한 후 로스쿨에 진학해서 변호사의 길을 가 보는 게 어떻겠니?"

"에이, 제가 어떻게 변호사를 해요? 저는 변호사 안 해요."

자녀를 키우다 보면 이런 아이가 꼭 있습니다. 분명한 재능과 달란트가 있음에도 불구하고 자신의 능력을 적극적으로 펼치려 하지 않는 경우입니다. 저는 생각다 못해 미국인 변호사와 한국인 변호사, 그리고 저와 딸아이의 '4자 대면의 시간'을 마련했습니다. 물론, 그 두 분의 변호사에게 제가 간곡히 청을 드려서 마련한 시간이었습니다. 아이의 미래를 위한 아버지의 정성이기도 했습니다. 일단 그쪽 분야의 전문가를 만나 충분히 얘기를 나눠 보면 딸아이가 정말 그 길을 가야 할지 말아야 할지 능동적으로 결정할 수 있으리라 생각했습니다.

그런데 1시간 동안 이어진 그 만남에서 딸아이는 왜 변호사의 길을 안 가려 하는지를 말했습니다.

"저는 일단 법정에 나서서 말하는 게 싫어요."

적극적인 듯하면서도 약간은 내성적인 성격의 딸아이는 법정 변호사라는 직업이 자신과 잘 맞지 않는다고 생각했던 것입니다. 그러자 만남에 참여했던 변호사 한 분이 이런 말을 했습니다.

"전체 변호사 중 법정에 나서는 변호사는 10퍼센트도 안 돼. 미국은 법률 사회잖니? 그러니까 나머지 90퍼센트 이상은 전부 병원이나 교회, 회사에서 일을 한다."

그분 말씀대로 미국 사회 대부분의 일반 단체는 고문 변호사를 따로 둔채 법률 자문을 받기 때문에 굳이 '법정 변호사'를 하지 않아도 변호사의 길을 얼마든지 갈 수 있었습니다. 딸아이는 그와 관련된 설명을 다 듣고 나자 비로소 얼굴이 환해지면서 제게 이런 얘기를 해 왔습니다.

"아빠, 나 법과대학에 갈래요."

그 후 딸아이는 법과계의 명문인 해스팅즈(Hasting's) 법과대학에 들어가 그 어렵다는 법학 공부를 우수한 성적으로 다 마칠 수 있었습니다. 제가 생각했던 대로 딸아이는 법학 공부도 매우 쉽게 해 냈고, 변호사가 된 뒤에도 로스엔젤레스 로펌에서 일하며 '베스트 로이어'(best lawyer)로 뽑히는 영광을 얻기도 했습니다. 젊은 아가씨가 로펌에 근무하는 80여 명의 변호사들을 제치고 '최고의 변호사'로 뽑힌 것입니다.

그 뒤에도 이 아이는 글 쓰는 능력을 더 계발해서 현재는 모 여성 잡지

부편집국장으로도 일하고 있습니다. 어떤 일을 하든 자신의 일을 즐기며 하는 딸아이를 보면 제 마음도 얼마나 좋은지 모릅니다. 자기가 가장 좋아하는 일, 가장 잘할 수 있는 일을 하기 때문에 딸아이는 더욱 자신의 인생을 즐기며 살 수 있는 것입니다.

저는 자녀들의 진로와 관련해서 부모가 디딤돌이 되거나 걸림돌이 되는 두 양극 현상을 많이 보았습니다. 디자이너로서 충분히 성장할 수 있는 사람이었는데 부모의 고집 때문에 의과대학에 갔다가 자살하는 청년도 있었고, 어떤 재능도 없어 보이던 청년이었지만 숨겨진 달란트를 발견해 이끌어 준 부모 덕분에 유명하고 유력한 사람으로 성공하는 일도 있었습니다.

전자가 아닌 후자의 부모가 되고 싶다면 무엇보다 자녀에 대해 많이 관찰해야 합니다. 열심히 관찰하고 살펴보고 묵상함을 통해, 자녀가 가장 잘 할 수 있는 길에 대해 눈뜨도록 지도하는 사람이 바로 부모이기 때문입니다. 부모의 욕심이나 야망이 아니라 자녀의 적성과 기질, 능력을 따라 '마땅히 행할 길'을 자녀에게 가르치는 사람, 그 사람이 바로 부모라는 사실을 언제나 잊지 맙시다.

1 부모란 하나님께서 자녀에게 심어 놓으신 달란트, 은사, 재능들을 발견해서 마땅히 가야 할 사명의 길을 가도록 인도하는 사람입니다.

2 하나님께서는 우리에게 사명의 길을 가게 하시되 억지로 가도록 하지 않는 분이십니다.

3 자녀들의 재능과 소질을 잘 살펴보면 이 아이가 장차 어떤 길을 가야 하는지가 보입니다.

4 부모는 평생 '육아일기'를 써야 합니다. 아이의 특성을 어릴 때부터 잘 발견하여 진로를 찾아가도록 도와야 할 책임이 부모에게 있기 때문입니다.

7 비전과 사명의 길을 가게 하라

성경적 동기부여가 분명할 때, 자녀는 하나님 안에서 진정한 성공,
진정한 꿈을 이루는 인생을 살 수 있습니다.

직업 선택의 기준부터 세우자

앞서 얘기한 대로, 부모는 자녀에게 '마땅히 행할 길'을 가르치는 사람
입니다. 그것은 곧 자녀의 직업 선택에서도 카운슬러가 되어 주어야 한다
는 뜻입니다. 그러나 부모가 먼저 올바른 직업관을 갖고 있지 않으면 좋
은 카운슬러가 될 수 없습니다. 성경에 나온 대로 "소경이 소경을 인도할
수 없기 때문"입니다.

많은 부모들은 여전히 세속적 가치관을 따라 자녀의 직업을 안내합니
다. 돈 벌이가 괜찮은지, 사회적으로 인정받는 직업인지를 직업 선택의

절대적 기준으로 삼습니다. 우리가 자녀들을 골방에 가둬 둔 채 '공부만 하는 수재'를 만드는 이유도 결국은 이 '돈과 명예'라는 우상을 섬기기 때문입니다. 나중에 한자리하고, 나중에 한몫 챙기는 인생 되라고 그렇게 죽도록 공부를 시키는 것입니다.

물론 현대를 살아가려면 이 기준을 아예 무시할 수 없습니다. 자본주의 경제체제 속에서 크리스천인 우리가 물권을 얻고 그 경제력으로 세상을 섬기고 다스리는 일도 필요합니다. 그러나 그 역시 하나님 나라 확장을 위한 수단으로서의 경제력이지, 물질 획득 자체를 목적으로 살아간다면 물질이라는 미끼에 덜미를 잡혀 버린 인생이 되기 마련입니다.

하나님께서는 "먼저 그의 나라와 의를 구하라"고 하셨습니다. "그리하면 먹고 마시고 쓰는 그 모든 것을 더하시겠다"는 약속까지 덧붙이면서 말입니다. 하나님의 이 말씀은 자녀들의 직업 선택(진로)에도 그대로 적용됩니다. "먼저 하나님 나라와 의를 구하려는" 심정으로 직업을 선택할 때 하나님께서는 "그 모든 것을 더하시는" 축복을 자녀들에게 허락하십니다.

그래서 우리는 자녀들에게 "어떤 직업을 가져야 한다"는 카운슬링을 하기에 앞서 "왜 그 직업을 가져야 하는가?" 또는 "그 직업을 통해 하나님께 어떻게 영광을 돌리려 하는가?"에 대한 직업 선택의 동기부터 먼저 질문해야 합니다. 즉, "너는 꼭 의사가 되라"가 아니라 "너는 이러이러한 의사가 되어야 한다. 하나님께서 바라시는 의사는 이런 의사다"라는 내용을 먼저 자녀들과 나눌 수 있어야 합니다. 돈 많이 벌어, 보란 듯이 살기 위해 의사가 되는 게 아니라 병들어 희망을 잃은 사람들에게 소망을 주기 위한 목적으로 의사가 되려는 성경적 동기부여가 분명할 때, 자녀는 하나님 안에서의 진정한 성공, 진정한 꿈을 이루는 인생을 살 수 있습니다.

그런 면에서 인성교육의 대표적인 선두주자로 꼽히는 거창고등학교의 '직업 선택 십계명'은 우리에게 큰 가르침을 줍니다.

직업 선택 십계명

1. 월급이 적은 쪽을 택하라.
2. 내가 원하는 곳이 아니라 나를 필요로 하는 곳을 택하라.
3. 승진의 기회가 거의 없는 곳을 택하라.
4. 모든 조건이 갖추어진 곳을 피하고, 처음부터 시작해야 하는 황무지를 택하라.
5. 앞을 다투어 모여드는 곳은 피하고, 아무도 가지 않은 곳을 가라.
6. 장래성이 없다고 생각되는 곳으로 가라.
7. 사회적 존경을 바랄 수 없는 곳으로 가라.
8. 한가운데가 아니라 가장자리로 가라.
9. 부모나 아내가 결사 반대하는 곳이면 틀림없다. 의심치 말고 가라.
10. 왕관이 아니라 단두대가 기다리는 곳으로 가라.

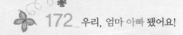

얼핏 들으면 일부러 '실패의 길'을 자청해서 가라는 뜻으로 들릴 수도 있습니다. 현실성이 없다는 비판도 들을 만합니다. 그러나 이 십계명을 깊이 묵상해 보면 어두운 곳, 그늘진 곳에 가서 '빛과 소금'이 되라 하신 주님의 마음과, "자기 십자가를 지고 주님의 뒤를 따르라" 하신 그분의 명령에 충실한 직업 선택의 기준임을 알 수 있습니다. 십자가를 먼저 질 때 면류관이 주어지는 성경의 원리와도 상통하는 기준입니다. 놀라운 것은, 이런 기준으로 자녀들의 진로를 지도할 때 하나님께서는 "그 모든 것을 더하시는" 축복을 자녀의 삶 속에 주시겠다 약속하셨다는 사실입니다.

실제로 믿음의 선배들은 이와 같은 길을 걸었습니다. 일부러 황무지의 길을 선택하고 그 길에 자신을 헌신하면서 황무지에 꽃이 피고 새가 노는 역사를 만들어 나갔습니다.

우리 자녀들에게 그와 같은 하나님의 길, 영광스러운 길을 걷도록 지도하는 사람, 그 사람이 바로 부모입니다. 남들이 알아주는 화려한 직업이 아니면 아예 일자리를 얻지도 못하게 하는 부모가 아니라, 때로는 남들이 가지 않으려는 길도 기쁨과 감사함으로 자청해서 갈 수 있도록 지도하는 사람이 바로 부모입니다.

그러므로 부모인 우리가 먼저 성경적 가치관으로 무장해 있어야 합니다. 그래야 우리 소중한 자녀들이 황무지에 꽃을 피우는 하나님의 역사에 동참할 수 있습니다.

가장 잘하는 것으로 영광 돌리라

지금까지 말씀드린 직업 안내의 전제 조건 두 가지를 요약하면 다음과 같습니다.

첫째, 자녀가 가장 잘할 수 있는 일을 하게 하라.

둘째, 하나님의 기뻐하시는 뜻을 따라 일하게 하라.

이 두 가지 기준은 반드시 함께 고려되어야 합니다. 첫째 기준으로만 안내해도 안 되고, 둘째 기준만을 절대시해서 안내해도 곤란합니다.

글쓰기에 천재성이 있는 한 아이가 있다고 쳐 봅시다. 그런 아이에게 두 번째 기준을 심어 주지 않으면 그는 글을 통해 수많은 사람들의 영혼을 파괴할 수도 있습니다. 오늘날 방송되는 한국 드라마를 보십시오. 드라마 속 주된 내용은 거의 '불륜' 아니면 '결혼을 통한 신분 상승'입니다. 그리고 그 드라마를 보는 많은 시청자들은 드라마 내용을 자신의 삶 속에 자연스럽게 받아들이며 적용합니다. 그 때문에 태초에 가정을 설계하신 하나님의 의도와 목적이 각 가정 속에서 헌신짝처럼 버려지고 있습니다. 세속적 가치관으로 드라마를 쓴 작가의 글 재주가 가정을 파괴하는 주범이 되는 것입니다. 다른 사람의 영혼과 가정을 파괴하면서 돈을 버는 경우입니다.

하지만 반대로 다른 사람의 영혼과 가정을 살리면서 돈을 벌 수 있습니다. 성경적 가치관을 따라 좋은 내용의 책을 쓰고 드라마를 쓸 때 영혼도 살리고 돈도 버는 일이 일어납니다.

우리는 부모로서 자녀들이 그런 삶을 살도록 안내해 줘야 합니다. 우리가 그렇게 성경적으로, 또 객관적으로 안내해 주며 기도해 줄 때 우리 자녀들은 하나님께서 기뻐하시는 뜻을 따라 자신의 진로를 개척해 갈 것입니다.

저는 큰아들의 직업 선택을 도울 때 이 두 가지 기준에 맞추어 안내하려 애썼습니다. 큰아들 형진이는 어렸을 때부터 의사가 된다는 말을 입버릇처럼 했습니다. 아빠가 의사다 보니 큰아들로서 자연스럽게 갖게 된 꿈이었나 봅니다. 그런데 부모인 제가 볼 때 큰아들은 절대로 의사가 되어선 안 될 사람이었습니다. 의사가 되기엔 큰아들의 그릇(?)이 너무 컸습니다.

사실, 제가 평생 의사를 해 본 경험으로 보자면 의사는 시야가 조금 좁아야(?) 합니다. 넓게 보기보다 깊게 봐야 하는 사람입니다. 그래야 좋은 의사가 될 수 있습니다. 한 지점만을 바라봐야 하고, 그러면서도 아주 작은 것까지 놓쳐선 안 됩니다. 만약 작은 것 하나라도 놓쳤다가는 환자가 죽고 맙니다. 매우 섬세하고 세심하게 한곳에만 마음을 둔 채 연구하며 파고들어야 하는 사람이 의사입니다.

그런데 큰아들 형진이는 스케일 자체가 컸습니다. 관심 분야가 늘 넓게 퍼져 있어 사람을 좋아하고, 다른 사람의 일을 적극적으로 도와주며 사는 걸 당연하게 여기는 아이였습니다. 하나님을 사랑하고 공경하며, 주일학교 교사로 아이들을 돌볼 때도 얼마나 말을 잘하는지 모릅니다. 친구는 물론 교회학교 아이들에게도 인기가 많았습니다.

그런 형진이가 취미를 붙이지 못하는 한 분야가 있었으니 바로 공부였습니다. 제가 성경공부를 끝내고 집으로 돌아오는 밤 12시경이면 이미 아이들 방의 불은 다 꺼져 있습니다. 그러나 의사가 되겠다는 형진이의 방에만은 늘 불이 켜져 있습니다. '여태 공부하나?' 싶어 아들 방을 열어 보면 형진이는 영락없이 책상 위에서 자고 있습니다. 한 번도 깨어 있는 걸 본 적이 없습니다. 그래서 저는 늘 아들에게 다가가 이런 말을 했습니다.

"편히 쉬어라. 편히 쉬어."

늘 운동을 좋아해서 몸을 많이 움직이고, 남을 섬기기 좋아해서 사방으로 뛰어다니다 보니 책상 앞에만 앉으면 졸음이 몰려오는 것이었습니다. 그런 아들이었기에 저는 늘 이렇게 말하곤 했습니다.

"마음은 원이로되 육신이 약하구나, 편히 쉬어라."

그 아들이 고등학교 2학년 때 한번은 진로와 직업 선택에 대한 얘기를 진지하게 나누게 되었습니다. 저는 솔직하고 객관적으로 대화를 나누었습니다.

"형진아, 너는 뭐가 되고 싶니?"

"아빠, 나는 의사가 되고 싶어요."

"의사라…. 형진아, 아무래도 너는 의과대학 가는 게 무리가 되지 않을까? 물론 너는 우리집에서 가장 두뇌가 명석하지만 의사가 되려면 지금부터 10년 동안은 하루에 10시간, 15시간씩 공부해야 하는데, 그 좋은 잠을 다 포기하면서 의사 공부를 해낼 수 있겠어?"

"그래도 아빠, 나는 의사가 되야 하지 않을까 싶어요."

"잠이 많은 네가 잠도 안 자고 공부하려면 정신적인 고통에 시달릴 텐데?"

아들의 의지와 뜻을 거듭 확인하기 위해 몇 가지 질문을 던져 보아야 했습니다.

"왜 그렇게 의사가 되고 싶어?"

그러자 아들은 솔직하게 심정을 털어놨습니다.

"아빠, 내가 의사가 안 되면 아빠가 실망할 거 아니에요?"

역시 형진이는 사람을 소중히 여기는 사람답게 아빠에게 실망감을 안 주기 위해 자신의 진로마저 적성과 특기에 안 맞는 의사의 길로 정해 버렸던 것이었습니다. 저는 깜짝 놀라 아들에게 대답했습니다.

"야, 아빠가 의사라고 아들도 의사가 되어야 한다는 법이 어디 있나? 아빠는 그런 사람이 아니야. 나는 하나님께서 네게 주신 달란트를 잘 계발하도록 돕는 카운슬러야. 네가 원하는 것이 뭐야? 편안하게 네 마음속 얘기를 해봐."

제 반응에 아들은 얼굴을 펴며 이런저런 얘기를 합니다.

"아빠, 그럼 제가 하고 싶은 얘기를 좀 할까요?"

"좋지, 해봐라."

"아빠, 실은 제가 사업가가 되고 싶어요."

안 되는 일을 되게 하고, 고장 난 물건을 뚝딱뚝딱 고쳐 내며, 인간관계 능력이 탁월한 형진이에겐 의사보다는 사업가가 훨씬 잘 어울렸습니다.

"네가 그 길을 가고 싶다면 그 일을 하기 위해 차곡차곡 준비해 가야 한다."

"네, 아빠. 지켜봐 주세요. 저 열심히 준비할게요."

진로에 대한 구체적인 동기부여가 주어진 그때부터 큰아들은 열심히 미래를 준비해 가기 시작했습니다. 대학에 들어간 뒤에도 전공과목만 공부하는 게 아니라 리더십을 비롯한 자신의 역량을 키우기 위해 연극, 음악도 따로 공부할 뿐더러, '스피칭 클래스'에 들어가 연설하는 법도 열심히 배우곤 했습니다.

"아주 잘하고 있다. 대학 다닐 때 그런 걸 계발해 둬야 한다."

한 단계 한 단계 사업가로서 준비해 나가는 아들의 모습에 저는 옆에서 박수를 쳐 주었습니다.

"너는 역시 지도력이 있다. 너는 훌륭한 경영인이 될 거다."

그러던 중 큰아들은 대학을 졸업한 후 모국어와 한국 예절, 현장 감각을 익히기 위해 한국의 이랜드에 들어가 1년 이상 근무했고, 그 근무 끝에 미국으로 다시 돌아와 MBA(경영학 석사)를 준비하게 되었습니다. 최고경영자 과정의 공부까지 끝마칠 생각이었던 것입니다.

그런데 그 시점에서 저는 큰아들에게 진로에 대한 고민을 다시 해보자고 말하지 않을 수 없었습니다. 큰아들을 살피며 기도를 모을수록 이 아들에게 주어진 목회자적 성품과 기질, 성향이 자꾸만 부모의 눈에 들어왔기 때문이었습니다. 큰아들의 내면 세계에 심어 주신 정직과 진실한 성품, 그리고 지도력은 목회자의 길을 가게 하시려는 하나님의 섭리가 있을 거라는 생각을 갖게 했던 것입니다.

거기에다 큰아들은 어려서부터 '언변력'이 뛰어났습니다. 말하기를 좋아하고 말을 즐겨 해서 매년 학교 성적표에는 "말을 매우 많이 한다"는 선생님의 의견이 꼭 써 있을 정도였습니다. 그래서 이렇게 물어 보았습니다.

"형진아, 너는 수업시간에 무슨 말을 그렇게 하길래 선생님마다 이런 의견을 써서 보내 주시니?"

"아빠, 실은 제가 말을 많이 하는 게 아니고요, 수업 시간에 수업 내용에 대해 잘 이해하지 못한 친구들이 있잖아요? 그 친구들이 그런 걸 다른 애들한테 물어 보면 다른 애들은 '몰라' 하고 끝내지만, 저는 그럴 수가 없어요. 자세하게 설명을 다 해 주거든요. 그런데 설명을 한참 하고 있으면 선생님께서 저보고 말을 많이 한다고 하시더라고요."

남들에게 자세히 설명해 주길 좋아하는 큰아들의 이런 성향 역시 목회자적 성품이라 말하지 않을 수 없었습니다. 그 뛰어난 언변력으로 하나님의 말씀을 전하며, 정직하고 진실한 지도력으로 사람들을 섬기는 삶을 산다면 그야말로 큰아들을 이 세상에 보내신 하나님의 뜻을 이루는 길이라는 확신이 들었습니다.

그래서 저는 아들을 불러 이렇게 말했습니다.

"얘야, 너는 남다르게 헌신적이고 리더십이 있으니 하나님의 종으로 살아가는 게 좋을 것 같다는 생각이 든다. 내가 전 세계를 다니면서 보니 MBA를 졸업한 사람 혹은 의사, 변호사, 박사들은 넘쳐 나지만, 한인 2세들을 위한 영적 지도자는 너무나 부족하더라. 그런데 여러 모로 너를 살펴보니 네가 바로 하나님께서 찾으시는 그 사람일 것이라는 생각이 든다. 혹시 너는 그런 생각을 해본 적이 없니?"

아들에게 했던 그 말은 진심이었습니다. 오대양 육대주를 다니는 동안 저는 다 기억할 수 없을 정도로 많은 의사와 변호사, 박사들을 만났습니다. 그러나 2세들을 위한 영적 지도자는 손에 꼽을 정도로 부족했습니다. 대부분의 부모들이 자녀가 영적 지도자의 길을 간다 하면 펄쩍 뛰면서 그 길을 막아섰기 때문입니다. 심지어 교회 중직자를 맡으신 분들의 가정에서도 똑같은 일이 벌어집니다.

"절대로 목사는 안 된다. 내 눈에 흙이 들어가기 전에는 목사 될 생각 하지 마라."

자녀에게 목회자로서의 사명 의식이 있는지, 그 길을 기쁨으로 갈 만한 그릇으로서 준비가 되어 있는지를 점검하며 함께 하나님 나라를 꿈꾸기보다는 무조건 막아서고 봅니다. 왜 그렇습니까? 부모들부터 말씀을 말씀

그대로 믿지 못하기 때문입니다. "먼저 그의 나라와 의를 구할 때 그 모든 것을 더하신다"는 하나님의 진정한 축복의 말씀을 믿지 못하기 때문에 자녀에게 십자가의 길을 영광스럽게 가도록 안내하지 못하는 것입니다. 내 자녀가 혹여라도 고생할까 싶어 그 길을 가지 못하도록 뜯어말리게 되는 것입니다.

그러나 우리는 이 사실을 알아야 합니다. 자녀들이 목회자의 길을 갈 때가 아니라, 마땅히 가야 할 길이 아닌 다른 길을 갈 때야말로 차마 감당할 길 없는 고생을 하게 된다는 것을…. 마땅히 가야 할 길, 마땅히 갈 수 있는 길을 갔을 때는 비록 그 길이 가시밭길이라 해도 기쁨과 축복과 감사로 충만한 시간들이 된다는 것을….

저는 이 사실을 알기에 큰아들에게 진심 어린 권유를 했습니다.

"형진아, 지금 세상은 2세를 위한 영적 지도자를 필요로 한다. 그러니 너는 MBA를 갈 게 아니라 M.Div.(신학석사 과정)를 가는 게 어떠니? 만약 네 생각도 아버지의 뜻과 같다면 이미 MA(기독교 교육학 석사 과정)를 하고 있는 네 애인이 다니는 학교에 들어가는 게 어떻겠니?"

세 자녀 중 가장 믿음이 좋고 명석하며 헌신적인 큰아들이야말로 주님의 영광을 위해 전임 사역자로 살았으면 좋겠다는 생각이 들었습니다. 물론 그것은 부모의 일방적인 믿음 때문에 주어진 생각이 아니었습니다. 큰아들을 보면 볼수록 목회자의 길이 그 아들이 '마땅히 행할 길'이요, 하나님으로부터 주어진 달란트임을 확신하게 되었기 때문입니다.

하지만 제 확신은 어디까지나 안내자로서의 확신일 뿐, 중요한 것은 아들의 동의와 확신이었기에 아들의 뜻을 물었습니다.

"아빠, 그러시다면 며칠 기다려 주세요. 저도 기도하면서 여자 친구와 상의해 볼게요."

당시 아들은 이미 MBA 등록을 했고 애인은 기독교 교육학 석사를 하고 있던 상태였습니다. 만약 제 진로 지도를 받아들인다면 아들은 등록금도 다 포기해야 하고, 미래에 대한 계획까지도 완전히 바꿔야만 했습니다. 정말 하나님의 뜻과 아들의 뜻, 결혼을 약속한 그 여자 친구의 뜻이 하나로 합쳐지지 않는다면 결정할 수 없는 일이었습니다.

그런데 며칠 후, 두 사람은 환한 표정으로 와서 이렇게 말했습니다.

"아빠, 신학을 하겠습니다. 아빠 말씀에 전적으로 동의가 되더라고요."

그렇게 해서 진로 방향을 바꾼 형진이는 현재 전 세계 2세대를 위한 목회자로 섬기고 있습니다. 특별히 3년 전에는 호주 자마(JAMA, 청년대각성운동)의 주강사로 많은 청소년들을 구원하는 복음전도자로 섬겼고, 지난 1월에는 독일 청소년 연합집회에서 주강사로 섬기며 국제적으로 사역의 범위를 넓히고 있습니다.

부모는 디딤돌이 되어서 자녀가 더욱 성장하고 지도자의 위치에 오르도록 도와야 합니다. 그러나 많은 부모들이 디딤돌이 되는 대신 걸림돌이 되는 수가 있으니 부모는 더욱 배우고 성장해야 합니다. 당신은 디딤돌입니까? 아니면 걸림돌입니까?

Park's Tip

1️⃣ 부모는 자녀에게 '마땅히 행할 길'을 가르치는 사람입니다.

2️⃣ 부모가 먼저 성경적 가치관으로 무장해야 자녀들이 황무지에 꽃을 피우는 하나님의 역사에 동참할 수 있습니다.

3️⃣ 부모는 자녀가 다른 사람의 영혼과 가정을 살리면서 돈 버는 삶을 살도록 도와줘야 합니다.

4️⃣ 마땅히 가야 할 길을 갔을 때는 그 길이 가시밭 길이라 해도 기쁨과 감사가 넘칩니다.

자녀의 결혼까지 돕는
멘토가 되라

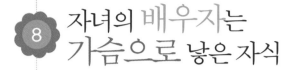

자녀의 배우자는
가슴으로 낳은 자식

8

자녀의 배우자를 내 자식처럼 계발시켜 주고 품어 줄 때,
자녀의 결혼은 완료형이 아니라 진행형으로 발전해 갈 것입니다.

자녀의 결혼 준비, 첫 단계

"아버지, 저 결혼하고 싶어요. 허락해 주세요."

자식을 키우다 보면 반드시 맞닥뜨리게 되는 현실이 바로 이것입니다.
생각지 못한 때에, 생각지 못한 사람을 데리고 와서는 결혼을 허락해 달
라 요청합니다.

저는 세 자녀를 출가시키면서 항상 이와 같은 경험을 했습니다. 평소
데이트를 조언하고 가정 설계에 대한 가르침을 많이 줬지만, 막상 결혼
상대자라며 소개를 받고 보니 부모의 욕심이 앞서 100퍼센트 만족하는

마음이 들지 않았습니다. 모두 제 기준에 비해 50-70퍼센트밖에는 만족을 주지 않았습니다. 그래서 처음엔 반대도 했습니다.

"애야, 내가 보기에 그 사람 마음에는 상처와 열등감이 가득 차 있는 것 같아."

내적치유에 관한 공부를 해 왔던 저로서는 자식들의 배우자감에게서 깊은 상처의 골을 읽어 낼 수 있었습니다. 치료받지 못한 상처는 독이 되어 많은 사람을 찌르고 결국 배우자와도 원만한 관계를 갖지 못하도록 가로막기에 배우자의 성장 배경이나 가정환경을 보지 않을 수 없었습니다.

"그래도 저는 그 사람과 결혼할 거예요. 저는 그 사람을 사랑해요."

대부분의 자녀들이 그렇듯 우리 아이들 역시 '사랑' 운운하며 쉽게 결혼을 포기하지 않았습니다. 그런 모습을 보니 결혼 문제만큼은 부모가 주도권을 갖고 결정할 사항이 아님을 인정할 수밖에 없었습니다.

"그래? 그렇다면 너도 알다시피 그(녀)에게는 부모에 대한 상처, 어린 시절에 대한 상처가 많다. 너는 그것을 감수할 수 있니?"

제 물음에 자녀들은 하나같이 대답했습니다.

"네, 제가 그 상처를 감싸 줄 수 있어요."

아이들의 대답에 저는 한 가지를 권면했습니다.

"좋다. 그렇다면 상처의 근본적인 치료는 주님께서 하심을 믿고 주님께 나아가 내적치유를 받아 보도록 해라. 그리고 너도 상대방의 상처를 끝까지 감싸 줘야 한다."

이렇게 해서 세 아이들은 모두 결혼 전에 상대방과 함께 '내적치유세미나'에 참석했고, 계속해서 자신의 내면 속에 쌓여 있는 거절감, 우울감, 열등감, 애정 결핍, 분노감, 두려움 등의 상처들을 치료해 나가기 시작했습니다.

저는 「우리, 결혼했어요!」에 자세히 기록한 대로 결혼을 앞둔 커플들에게 최소한 네 가지의 혼수 준비(?)를 하라고 강력하게 권고합니다. 그중 하나가 '내적치유'입니다.

누구든 과거의 어두웠던 아픔들을 주님 앞에서 꺼내어 깨끗하게 치유받지 못하면 결혼생활 도중 또 다른 상처를 가족들 간에 주고받게 됩니다. 반면, "내가 왜 별다른 이유 없이 상대방의 가슴에 상처 주는 말을 하는지, 왜 쇼핑중독에서 벗어나지 못하는지, 왜 남편의 손길을 거절하는지" 등등에 대한 이유를 미리 알고 치유받으면 얼마든지 풍요롭고 행복한 결혼생활을 영위할 수 있습니다. 결혼 승낙의 조건으로 '내적치유세미나' 참여를 적극적으로 권했던 것은 그와 같은 이유 때문입니다. 자녀들을 아무리 잘 키워 왔어도 결혼생활이 행복하지 못하다면 자녀들은 불행할 수밖에 없습니다. 따라서 부모인 우리는 자녀들에게 좋은 직업인의 삶을 살 수 있도록 조언함과 아울러, 행복한 결혼생활을 위한 안내를 해 줄 수 있어야 합니다.

하지만 한국의 많은 부모들은 이와 같은 일에는 무관심한 채 심하게 말해 인신매매범처럼 행동하는 경향이 있습니다. 소위 자녀들의 결혼을 통해 한몫 챙기려는 데만 열중합니다. 모피코트를 해 와라, 집을 얼마짜리 마련해라, 열쇠 몇 개 마련해 와라….

그러다 보니 자녀들은 그동안 모아 뒀던 돈을 결혼 자금으로 다 써 버립니다. 자녀에게 돈이 없으면 부모가 나서서 그만한 돈을 대 주기도 합니다. 남들 보기 부끄럽지 않도록 화려하게 출발하는 것이 좋다는 생각에서입니다. 정말 마련해야 할 혼수 네 가지(?)에는 아무도 관심을 두지 않은 채 좋은 집, 가전제품, 화려한 결혼식, 시댁식구들에게 바쳐야 할 혼수에만 열을 내며 준비시키는 것입니다.

저는 자녀들이 결혼할 때 모두에게 만 불씩(약 천만 원)을 대줬습니다. 그것으로 신혼여행이나 커플 반지, 결혼식 준비까지 알아서 하라고 했습니다. 또 혼수도 일절 해 오지 못하도록 못박았습니다. 그래서 양말 한 켤레도 받지 않았습니다. 대신 부모에게 들어오는 축의금이든 자녀 앞으로 들어오는 축의금이든 모든 축의금은 자녀가 받도록 했습니다. 물론 집은 월세집으로 시작하도록 했습니다.

그러다 보니 미국에서는 한국에서와 다른 결혼 풍속도가 그려집니다. 한국은 결혼하는 데 엄청난 비용이 들기 때문에 "돈이 없어 결혼 못한다"는 말이 나오기도 하고, 결혼한 다음에는 무일푼이 되니 빚을 지는 게 일반화되어 있습니다. 그러나 미국 청년들은 무일푼으로 있다가도 축의금 등을 모아 저축하다 보니 결혼 후에는 몇 만 불씩 저축하게 되곤 합니다. 결혼과 동시에 경제적 독립을 시작할 기반을 그렇게 마련해 가는 것입니다. 이것은 방 한 칸, 화장실 하나 딸린 월세집에서 결혼생활을 시작하기에 가능한 일이기도 합니다.

저는 그렇게 단촐한 결혼식, 검소한 출발을 아이들에게 주문했습니다. 그 대신 결혼의 의미를 마음 깊이 심어 주려 애썼습니다. 내적치유세미나에 참석해서 아이들 마음속의 쓴 뿌리를 주님 앞에서 제거하는 일에 집중하도록 한 것도 그 일환이었습니다.

나머지 혼수 준비, 그리고 첫날 밤

결혼을 위해 필수적으로 준비해야 할 네 가지 혼수준비는 내적치유와 기질 공부, 성격 테스트(MBTI), 가치관 점검과 비전 점검입니다. 이에 대해서는 부부생활을 위한 매뉴얼인 「우리, 결혼했어요!」에 자세히 언급했으므로 자녀들의 행복한 부부생활을 안내하기 위한 자료로 참고하시면 좋을 듯합니다.

저는 결혼이 성경에 나온 대로 독립의 출발이라는 데에 적극 동의합니다. 그 때문에 배우자를 선택하고 배우자를 결정하는 문제, 결혼 후의 경제적 독립에 대해서 결국은 자녀의 의견을 전적으로 존중해 주는 편입니다.

그러나 평생 자녀들에게 "마땅히 행할 길을 가르쳐 주는" 카운슬러로서의 부모 역할까지 벗어 버리라는 뜻은 아닙니다. 즉, 자녀가 결혼한 뒤에도 청지기로서, 또 카운슬러로서 맺어진 부모 자식 관계는 사라지지 않는다는 것입니다. 부모에게는 자녀의 행복한 결혼생활을 위해 현명하게 조언하고 기도해 줘야 할 책임이 있습니다. 결혼을 허락하고 독립된 생활을 하게 하되, 자녀에게 내적치유와 기질 공부를 하도록 하며 비전과 가치관을 점검하며 살도록 독려하는 것도 그와 같은 이유에서입니다.

저는 전문 가정사역자 입장에서 이 부분을 상세하게 지도해 왔지만, 만약 부모인 당신이 이 부분을 깊이 있게 공부하지 못했다면 관련된 책을 사서 자녀에게 주고 독후감을 써 내라고 해도 좋습니다. 아니, 부모인 당신이 먼저 이 부분을 읽고 자녀들과 함께 이야기를 나누는 것이 가장 좋습니다. 그러면 자녀들의 결혼생활, 부부생활이 훨씬 풍부하고 행복할 수 있습니다.

저는 이 외에도 자녀의 행복한 결혼생활을 위해 '성교육'을 실시해야 하는 사람이 부모라고 생각합니다. 성교육은 유아 시절부터 결혼 후까지 꾸준히 이루어져야 함에도 많은 부모들은 성인이 된 자녀에게 성교육하는 걸 이상하게 생각합니다.

"요즘 세상에 결혼 앞둔 자식에게 어떻게 성교육을 해요? 아닌 말로, 결혼 전 아기를 갖는 게 혼수라고 당당히 말할 정돈데요 뭐. 이젠 지기네들이 다 알아서 해요."

그렇습니다. 수많은 커플들이 이미 첫날밤을 보낸 뒤 결혼식을 올린다는 사실을 저도 압니다. 하지만 결혼식 날까지 첫날밤을 순결하게 기다려 온 커플들도 수없이 많습니다. 또한 이미 첫날밤을 보냈든 보내지 않았든 결혼 후에 '성적 트러블'을 경험하는 부부들이 수없이 많습니다. 이는 제가 의사로서, 또 청년사역자로서 상담을 통해 알게 된 사실입니다. 수개월이 지나도록 제대로 된 첫날밤을 보내지 못하는 부부도 꽤 많습니다. 분명히 건강한 성인남녀인데 사정을 못하거나 오르가슴을 못 느끼거나 혹은 아예 성적 접촉이 제대로 이루어지지 않는 경우도 있습니다. 전문가를 만나 상담을 받으면 곧 치료되고 해결될 문제임에도 끝내 해결받지 못해 헤어지는 부부가 생각 외로 많은 세상입니다.

어떤 부부는 수년 동안 성적 쾌감을 느끼지 못하기도 합니다. 주로 아내 쪽에서 이런 문제가 발생하는데, 그런 관계가 이어지다 보면 반드시 부부 갈등이 발생합니다. 잦은 말다툼도 생기고, 남편과의 잠자리를 슬금슬금 피하게 되면서 남편의 외도를 유도하는 꼴이 되어 버리기도 합니다. 성에 대해 조금만 교육받고 알게 되면 얼마든지 뜨거운 부부관계를 가질 수 있는데, 아무도 교육해 주지 않아서 생긴 문제입니다.

그래서 이 땅의 아이들은 인터넷이나 외설 잡지 속에서 왜곡된 성교육을 받습니다. 그 결과 결혼 후의 부부관계는 원만치 못하고, 성적 목마름을 해결하기 위해 쉽게 외도에 빠져 버리기도 합니다. 어린 시절부터 청년기, 장년기에 이르기까지의 단계적인 성교육을 제대로 받지 못한 결과입니다.

저는 아들에게는 아버지가, 딸에게는 어머니가 은밀한 부부 잠자리의 고민과 갈등까지도 상담해 줄 수 있는 유일한 사람이라 믿습니다. 그래서 저는 결혼을 앞둔 자녀들에게 항상 성교육을 실시합니다. 신혼여행 가기 전날에는 구체적인 성적 테크닉까지도 말해 주고, 때때로 부부관계가 원만한지도 묻습니다. 물론, 혼전 순결뿐 아니라 혼인 후의 순결(배우자만을 사랑하고 배우자와만 관계를 갖는 것) 문제까지도 지도합니다.

조금은 특이하게 들릴지 모르겠지만, 우리 집에서는 아들뿐 아니라 며느리까지도 제가 성교육을 합니다. 결혼했으니 며느리 또한 제 품 안에 들어온 자녀이기 때문입니다. 큰아들의 결혼식 전날, 저는 아들 며느리를 불러 놓고 이렇게 강의했습니다.

☕ ☕ "얘들아, 부부 성관계는 하나님께서 너희들에게 주신 아름다운 선물이다. 그러니까 이 선물을 잘 누릴 때 너희의 관계도 더욱 풍성하고 아름다워질 수 있단다. 그래서 너희들에게 첫날밤에 대한 강의를 해 주려고 해. 아들아, 아내를 애무할 때는 어둡게 불을 끄지 말고 불을 켜야 한다. 남자는 눈에 성적 스위치가 있어서 아내의 몸을 봐야 하기 때문이다. 솔로몬도 아내의 몸을 보면서 얼마나 감동했는지 아니? 아내에게 애무할 때는 변두리서부터 얼굴도 만져 주고 귀도 만져 주고 등도 다독거려 주면서 점점 센터로 접근해라. 그렇게

접근하면 아내의 기대가 넘치게 된다. 그렇게 아내가 점점 흥분해 갈 때 유방 주위와 허벅지를 만지다가 마지막에는 성기를 자극해라. 그러나 아내의 유방과 성기는 너무 예민하기 때문에 아주 부드럽고 사랑스럽게 다뤄져야 한다. 그리고 며느리 너는 반응함으로 남편을 기분 좋게 해 줘야 한다.”

남자와 여자의 신체 구조에 대한 사진까지 보여 주며 이런 교육을 실시하자, 큰아이 내외는 신혼여행을 다녀와서 신나게 보고까지 했습니다.

“아버지, 너무 좋았어요. 원더풀이에요! 둘째도 신혼여행 갈 때 꼭 그런 교육을 해 주세요.”

그 이후 큰아들은 첫딸을 낳았고, 집이 작은 관계로 큰 집으로 이사해야 할 처지에 이르렀습니다. 하지만 전도사 사역을 하던 터라 모은 돈이 없었습니다. 아내와 저는 큰아들 내외가 종자돈을 모을 수 있도록 돕기 위해 1년간 우리 집에 들어와 살도록 했습니다. 1년 동안의 월세 값만 모아도 조금은 큰 집으로 이사할 수 있기 때문입니다.

하지만 큰아들 내외와 함께 살기엔 우리 집이 좁았습니다. 우리는 이미 심플 라이프(simple life)의 삶을 위해 작은 집으로 이사한 뒤였으니까요. 아들 내외는 할 수 없이 우리 집 거실에서 커튼을 친 채 살아야 했습니다. 그러자 저는 제일 큰 걱정이 아들 내외의 원만한 부부관계였습니다.

“야, 너희들, 공간이 이렇다고 부부관계마저 소홀해지는 거 아니니?

괜찮니?"

그러자 아들이 환하게 웃으며 대답합니다.

"아버지, 걱정하지 마세요. 저희들 부부관계 문제없어요."

아닌 게 아니라 아내와 저는 전 세계를 다니느라 집 비우는 날이 많았습니다. 아들 내외에게 자유로운 공간을 주었던 셈입니다.

어떤 부모는 자녀들과 함께 살면서도 자식 내외의 부부관계를 전혀 고려하지 않는 행동을 거리낌 없이 하곤 합니다. "이미 애도 낳았는데 굳이 둘이 합방을 해야 하느냐?"는 태도로 성생활에 대한 배려를 전혀 안 해줍니다. 보이든 보이지 않든 부부 성관계를 위한 배려와 가르침, 그것이 자녀를 위해 부모가 줄 수 있는 큰 선물임을 간과해 버리는 것입니다.

저희 집에선 아들뿐 아니라 며느리도 스스럼없이 성과 관련된 질문을 합니다. 밖에 나가서 하지 못하는 질문이 가정 안에서 이루어지는 것입니다. 한번은 큰며느리가 임신이 잘 안 된다며 이런 질문도 해 왔습니다.

"아버님, 부부관계 후에 얼마 동안 가만히 누워 있어야 해요? 오랫동안 누워 있어야 임신이 잘 되나요?"

시아버지와 며느리 사이에 자연스럽게 이런 질문이 오고가고, 부모와 자식 사이에 부부 성관계에 대한 축복의 이야기가 종종 이어지기에 자녀들의 부부 금실이 좋지 않을 수 없습니다.

그러면서 저는 부부 성생활의 진정한 목적, 가정을 이루게 하시는 하나님의 목적이 무엇인지를 잊지 않고 가르칩니다. 부부 성생활의 최종 목적이 무엇일까요? 왜 저는 자녀들에게 부부관계의 기술을 알려 주면서까지 성관계를 잘 갖도록 가르치는 것일까요?

'오르가슴'을 느끼게 하기 위해서일까요? 물론 부부 성관계를 통해 오르가슴에 도달하는 것은 좋은 일이지만, 그 자체가 성생활의 목적은 아닙니다. 하나님께서 아담과 하와를 만드시고 부부로 짝 지어 주실 때 하나님께서 부부관계를 통해 그들에게 원하시는 한 가지 목적이 있었습니다.

그것은 바로 '하나 됨'입니다. 이 하나 됨을 위해 하나님께서는 성생활을 허락하셨고, 부부생활을 이끄셨습니다. 서로 깊이 배려하고 서로를 애끓는 마음으로 사모하여 성적 일체감을 이룰 때 부부에게 '하나 됨'이 무엇인지 느끼도록 설계하셨습니다. 부부가 서로를 꼭 껴안은 상태에서 "내 뼈 중의 뼈요 살 중의 살"이라고 고백하는 것은 바로 이 '하나 됨'에 대한 고백인 것입니다.

이것이 바로 부부의 비밀입니다. 부부가 아닌 다른 관계에서는 오르가슴이나 일시적인 성적 일치감은 느낄 수 있으나 영적 하나 됨의 기쁨은 느낄 수가 없습니다. 왜 그렇습니까? 하나님께서 허락하지 않은 관계에서 오는 쾌락이기 때문입니다. 그런 쾌락 뒤에는 부부관계에서와 달리 죄책감이 따라옵니다.

따라서 부부 성관계의 최종목적은 오르가슴이 아니라 하나 됨에 있음을 자녀들에게 알려 줘야 합니다. 가정을 이루게 하신 목적도 행복 자체가 아니라 행복을 넘은 '거룩함'에 있음을 알려 줘야 합니다. 즉, 성생활은 이 하나 됨으로 가기 위한 수단일 뿐, 성생활 자체가 부부가 함께 살아가는 최종적인 목적은 아니라는 뜻입니다.

그런 면에서 부부는 부득이 성생활을 온전히 이루지 못할 때도 헤어져선 안 됩니다. 배우자가 병들거나 혹은 멀리 떨어져 지낼 때이거나 혹은 자녀 출산 등의 이유로 성생활이 잘 되지 않을 때에도 부부는 서로를 향한 신뢰와 사랑 속에서 영적 하나 됨을 이룰 수 있어야 합니다. 하나님께서 맺어 주신 약속 안에서 하나 되고, 서로의 눈빛으로 하나 되며, 서로의 입맞춤만으로도 하나가 될 수 있는 유일한 관계, 그게 바로 부부관계입니다. 저는 이 사실을 성교육 과정 속에 꼭 첨가해서 자녀들에게 가르쳐 줍니다. 그럴 때 그들은 부부 성관계를 더욱 아름답게 누릴 뿐 아니라, 서로를 더욱 소중히 여기며 어떤 순간에도 진정한 영적 하나 됨을 향해 나아갈 것이기 때문입니다.

자녀의 배우자를 맘껏 성장시키라

부모란 누구입니까? 부모는 자녀에게 청지기요 카운슬러입니다. 자녀의 자기 계발을 도울 의무와 책임이 있는 사람입니다. 그리고 그 의무는 내 배 아파 낳은 자식에게뿐만 아니라 내 자식의 배우자를 향해서도 시행해야 합니다. 자녀의 배우자는 내 가슴에서 사랑으로 낳은 자식이기 때문입니다.

사실 이 사랑만 있으면 고부관계도 쉽게 풀립니다. 며느리를 내 딸로 여기고, 사위를 내 아들로 여긴다면 갈등의 골은 쉽게 메워질 수 있습니다.

큰며느리를 처음 보았을 때 제가 생각한 기준치에 완벽하게 도달한 며느리감으로 생각되지 않았습니다. 작은며느리를 볼 때도 마찬가지였습니다. 아마 모든 부모들의 솔직한 심정이 그럴 것입니다. 그래서 많은 시부모들은 결혼 후 며느리의 못마땅한 점을 흉보거나 트집 잡습니다. 속으로 '너는 이것밖에 안 되는데, 어떻게 완벽한 우리 아들을 꿰어 찼냐?'는 교만한 생각을 하며 며느리를 달달 볶습니다.

그러나 며느리의 친정 쪽 입장에서 보면 그 부모님 또한 사위가 눈에 차지 않습니다. 사람은 모두 자기 기준이 분명하며 타인을 향해 높은 잣대를 들이대기 때문입니다.

그렇다면 어떻게 해야 자녀의 배우자를 내 가슴으로 온전히 받아들이며 사랑할 수 있을까요? 저는 "장점을 바라보며 자기 계발을 시켜 주고, 부족한 점이 보인다면 부모가 채워 줄 것을 결심하라"고 말씀드리고 싶습니다. 즉, 내 자녀를 키우는 동안 자녀의 달란트를 계발시켜 주었듯이, 자녀의 배우자에게서 발견되는 달란트를 계발시켜 주고, 그러고서도 부족한 부분은 부모인 내가 보완해 주고 품어 주라는 것입니다. 그것이 바로 청지기인 부모의 마땅한 의무요 책임입니다.

저는 큰며느리를 맞이한 후 '어떻게 하면 이 아이를 더 계발시켜서 더 아름답게, 더 풍성하게, 더 멋지게 인생을 살게 할 수 있을까?'를 고민했습니다. 그런데 큰며느리를 살펴보니 이 아이는 매우 지성적이고 명석한 두뇌를 갖고 있음에도 자신을 좀 더 적극적으로 계발하지 않았음을 알 수 있었습니다. 저는 아버지로서 큰며느리와 진지하게 대화해 나갔습니다.

"얘야, 내가 보기에 너는 앞으로 여성 지도자가 될 재목이야. 네 남편이 영적 지도자로 섬길 때, 너는 그냥 집에서 밥만 하는 사람이 되지 말고 여성 지도자로서 같이 동역했으면 좋겠다. 21세기는 여성의 시대지 않니?"

제 말에 며느리가 묻습니다.

"어떻게 해야 그런 사람이 될 수 있죠?"

"Ph.D.(박사학위)까지 공부하는 게 좋겠다. 네가 좀 일찍 결혼했으니 아이를 조금 늦게 낳더라도 공부 먼저 마쳐서 강단에 서는 게 어떻겠니?"

제 조언에 며느리는 "1주일의 말미를 달라"고 요청하더니 1주일 뒤 흔쾌히 찬성하며, 좋아하시는 친정 부모님과 남편의 동의를 얻어 박사과정에 도전했습니다. 그리고 제 예상대로 큰며느리는 그 어렵다는 박사과정을 2년 만에 다 마쳐 버리고 말았습니다. 그 결과 지금은 2세 사역을 위한 여성 지도자로서의 면모를 훌륭하게 발휘하고 있습니다.

작은며느리와도 재미있는 일들이 있습니다. 처음 작은며느리를 소개

받았을 때 제 마음은 결혼을 반대하고 싶은 생각부터 들었습니다. 둘째 아들이 항상 외국 아이들과 잘 어울려 지내더니 아니나 다를까, 중국 아이를 배우자감으로 데려왔기 때문입니다.

"애야, 나는 한국 사람하고 결혼했으면 좋겠는데, 너는 중국 아이를 데리고 왔구나."

제 말에 둘째 아들은 당당하게 대답합니다.

"아빠, 제 마음을 가져간 한국 사람이 없는 걸 어떻게 해요?"

"안 된다."

제가 그토록 단호하게 말했던 것은 며느리가 한국인이 아니라는 점도 있었지만, 며느리의 정서 속에 깃든 상처 때문이기도 했습니다. 가정 형편상 어린 시절부터 아빠 사랑을 받지 못한 채 자란 며늘아기와 감수성이 예민한 둘째 아들이 잘 살아갈 수 있을지 확신이 서지 않았던 것입니다. 자식을 걱정하는 아빠로서는 당연한 일인데도 아들은 그런 아빠를 놓고 엄마에게 볼멘소리를 했던가 봅니다.

"여보, 둘째가 그러는데 당신이 도통 대화를 안 한다네요."

아내로부터 그 얘기를 듣자 '더 이상 안 되겠다' 싶어 둘째 아들에게 저녁 식사 데이트를 신청했습니다. 그러고는 차분하고도 진지하게 부모로서 이 결혼을 반대하는 이유에 대해 설명해 주었습니다.

"그런 이유들 때문에 결혼과 동시에 너는 상당 부분 마음의 십자가를 져야 한다. 그런데도 감당할 수 있겠니?"

"네. 아빠, 나는 감당할 수 있어요. 나는 그녀를 도와줄 거예요."

아들의 태도를 보니 아들이 보통 이상으로 며늘아기를 사랑하고 있음을 알 수 있었습니다. 아무리 반대해도 더 이상 승산이 없었습니다.

"그래, 좋다. 그러면 네가 그렇게 사랑하니까 결혼을 허락하마. 하지만 몇 가지 성격 테스트와 기질 테스트를 받고 공부해야 하고, 비전 테스트도 받아야 한다. 그런 후에 반드시 내적치유를 받도록 해라."

"알겠습니다. 아빠! 감사합니다."

그 후 며늘아기는 내적치유세미나에 참석하면서 마음속 쓴 뿌리를 치유받을 수 있었습니다. 하지만 치유는 한순간에 완전히 이루어지는 게 아니기에 아들에게 이런 말을 했습니다.

"이제부터 너와 나의 합동 작전을 통해 이 아이를 세워 주도록 하자. 너는 남편으로서 변함없이 이 아이를 사랑해 주고, 나는 며느리를 내 딸로 입양해서 사랑해 줄 것이다. 내가 개를 치유해 주고 세워 주겠다. 정서적 안정 상태가 50점이라면 100점이 되도록 기도하겠다."

둘째 아들과 그 약속을 한 뒤로 저는 작은며느리를 만날 때마다 항상 따뜻하게 포옹해 주며 "사랑한다"고 말하곤 했습니다. 그러면 이 아이는 한국말을 배워 와서 "아버님, 땡큐"라는 말로 어색하게 화답하곤 했습니다.

그러기를 얼마나 했는지, 어느 날인가 며늘아기는 아빠 품에 안기는 어린아이처럼 달려와 저를 꽉 껴안는 것이었습니다. 형식적인 포옹이 아니라 아빠 품이 정말 좋은 어린아이처럼 제 품 안으로 들어왔습니다. 아버지를 향한 며늘아기의 마음이 그대로 전해져 왔습니다. 그런 며늘아기를 향해 저는 진심으로 말했습니다.

"I love you, you're my daughter."

네가 내 딸이라는 말을 한 후 저는 한마디를 덧붙였습니다.

"I am your daddy."

며늘아기가 알고는 있지만 한 번 더 확인해 주기 위해 "나는 너의 아빠다"라고 부드럽게 말해 주었습니다. 그러자 며늘아기는 "아버님, 땡큐"라는 말과 함께 눈물을 쏟아 냈습니다.

그날 이후부터였습니다. 그렇게 제 품 안에서 눈물을 쏟고 난 그날 이후 작은며느리의 얼굴은 몰라볼 정도로 밝아졌습니다. 내면 세계가 밝아졌다는 사실을 온 가족이 느낄 정도였습니다. 저를 보면 "아버님" 하면서 달려와 안기고 어린아이처럼 애교를 부리는 모습도 더해졌습니다.

자녀의 진정한 성공은 '행복한 가정', '거룩한 가정'을 이루는 데 있습니다. 그러려면 부모인 우리가 자녀의 배우자를 내 자식처럼 계발시켜주고, 품어 줘야 합니다. 제가 큰아들과 작은아들의 가정사를 굳이 공개하면서까지 말하고 싶은 부분이 바로 그것입니다. 부모인 우리가 그렇게할 때 "자녀의 결혼은 완료형이 아니라 진행형"으로서, 더 좋은 모습으로 계속 발전해 간다는 사실을 자녀들의 가정 속에서 발견하게 될 것입니다.

Park's Tip

1. 과거의 어두웠던 아픔들을 주님 앞에서 꺼내어 깨끗하게 치유 받지 못하면 결혼생활 도중 또 다른 상처를 가족들 간에 주고 받게 됩니다.

2. 자녀들을 아무리 잘 키워 왔어도 결혼생활이 행복하지 못하다 면 자녀들은 불행할 수밖에 없습니다.

3. 자녀가 결혼한 뒤에도 청지기로서, 또 카운슬러로서 맺어진 부모 자식 관계는 사라지지 않습니다.

4. 자녀의 배우자에게서 발견되는 달란트 역시 계발시켜 주며, 부족한 부분은 부모인 내가 보완해 주고 품어 주어야 합니다.

9 시련이 올 때 회복을 꿈꾸게 하라

가정에 닥치는 시련과 고통은 성숙한 가정으로 인도하시는
하나님의 변장된 축복입니다.

결혼이란 끝까지 함께 가는 것

자녀의 결혼생활을 카운슬링하려면 반드시 '고난'과 '시련'에 대한
교육을 해 주어야 합니다. 위기관리 능력을 가르쳐야만 결혼생활의 위기
와 고난을 이겨 낼 수 있기 때문입니다.

이 세상 어떤 사람도 시련을 맞지 않는 사람은 없습니다. 특히 결혼생
활을 시작했다는 것은 그전과는 다른 차원의 육중한 시련을 맞게 된다는
의미도 포함합니다. 미혼일 때는 주로 결혼과 비전 문제만 고민하면 되지
만, 결혼 이후에는 복잡한 가정사 속에서 발생하는 크고 작은 문제들을

고민해야 합니다. 시댁 일, 친정 일, 자녀 일 등 스스로 책임지고 돌아봐야 할 일이 한두 가지가 아닙니다. 싱글일 때보다 몇 배의 고민거리가 생기지 않을 수 없습니다.

하지만 그 모든 문제를 저는 부부관계 속에서 풀어 가라고 조언합니다. 부부 사이에 성격이 안 맞거나 삶의 스타일이 다르거나 대화가 안 돼서 생겨나는 관계 문제든, 혹은 경제 문제, 건강 문제, 자식 문제 등 직접적인 부부관계의 문제가 아니든, 부부가 하나님 앞에 한마음을 품고 함께 기도함으로 문제를 풀어 가다 보면 반드시 문제는 풀리게 되어 있기 때문입니다. 즉, 문제가 터지면 문제 자체를 해결하려는 것보다 "어떻게 남편을 격려해야 할까?" 혹은 "어떻게 해야 절망하는 아내 마음을 일으킬 수 있을까?"를 고민하며 관계에 집중하면 문제는 문제도 아니게 지나갈 수 있다는 것입니다.

무엇보다 자녀들에게 "진정한 동행이란 어려울 때나 힘들 때나 계속해서 이어 가는 것"임을 지도해야 합니다. 아무리 어렵고 힘들어도 사랑은 버리는 게 아니라 함께 가는 것임을 알려 주는 것입니다. 그래서 저는 「우리, 결혼했어요!」란 책에서 다음과 같은 내용의 글을 쓴 적이 있습니다.

☕ ☕ "동행이란 함께 웃고 즐기는 것만이 아니라 고통까지도 함께하는 것입니다. 그것이 동행입니다. 주님께서도 우리와 동행하실 때 기쁨만 있지 않습니다. 자식이 고통 중에 있거나 부모를 배

반할 때 부모는 그 모습을 보며 얼마나 가슴이 찢어지겠습니까? 그러나 우리가 그렇게 주님 마음을 아프게 했다고 해서 주님께서 우리를 버리지는 않으십니다. 고통에 젖어 있는 우리의 마음 안에 들어오십니다. 오히려 고통 중에 우리와 더 친밀히 동행하십니다. 부부도 마찬가지입니다. 저 사람 때문에 고통이 오더라도 그것을 달게 받으며 함께 가는 것, 그것이 부부의 동행입니다."

우리의 자녀들이 부부 동행의 이와 같은 의미를 깊이 깨닫는다면 아무리 힘들고 어려운 시기를 맞는다 해도 이겨 낼 수 있습니다. 아니, 오히려 힘든 시기를 통해 부부애는 더 깊어지고, 그 가정은 더 견고한 반석 위에 세워질 것입니다.

가장 큰 위기, 깨어짐이 올 때 회복을 이야기하라

앞에서 말씀드린 대로, 아무리 큰 위기나 시련이 와도 부부가 동행을 포기하지 않고 하나님 앞에 무릎 꿇을 수 있다면 반드시 시련은 지나갑니다. 그러나 누군가 동행을 포기해 버릴 때는 이야기가 달라집니다. 동행 자체를 포기해 버리면 문제를 풀어 나갈 여지조차 주어지지 않기 때문입니다. 따라서 결혼생활의 시련 중 헤어짐보다 더 큰 시련은 없습니다. 저는 세 자녀의 결혼생활을 카운슬링하며 그런 고통을 지켜봐야 했습니다.

　제 딸아이는 앞서 밝힌 대로, 아빠가 주는 상처를 받으며 컸습니다. 제가 아버지로서 연약할 때 큰딸아이를 키웠기에 아이를 충분히 사랑해 주고 품어 주기보다는 억압하며 권위적으로 키운 면이 많습니다. 물론 제가 변화되고 난 이후 편지 교제를 통해 관계가 개선되었지만 딸의 마음속에는 아빠에 대한 두려움과 약간의 애정 결핍이 있었던 것 같습니다.

　그래서인지 로스쿨을 졸업할 무렵 처음 사귀기 시작한 남자에게 딸아이는 깊이 빠져 들어갔습니다. 강하게 보였던 아빠와 달리 자신을 섬세하게 보살펴 주는 사람을 만나자 깊이 마음을 주게 된 것입니다.

　그러나 부모인 저는 반대하지 않을 수 없었습니다. 딸아이의 남자 친구를 살펴보니, 교회는 다니지만 믿음이 없었고, 가정 형편상 여러 상처를 안고 있는 사람이었기 때문이었습니다. 특히 겉으로는 온유해 보이지만 열등감과 분노가 숨어 있는 것이 보였습니다. 상처가 있는 두 아이가 충돌하며 살아갈 거라 여겨졌습니다. 거두절미하고 "안 된다"며 잘라 말했지만, 결혼에 관한 한 자녀의 고집을 이길 부모는 없었습니다.

　게다가 우리 딸이 오죽 논리적입니까? 결국 이 싸움 역시 딸의 승리로 돌아가 몇 가지 조건을 내걸고 결혼을 승낙했습니다. 하지만 다른 자녀의 배우자들과 달리 그는 제가 내건 조건(신앙을 심어 주기 위해 냈던 여러 가지 숙제)을 착실하게 해 내지도 않았습니다. 변호사로서 성공하고 돈도 잘 버는 아내와 모든 면에서 아직 미숙한 남편의 불안한 결합이라 생각되었습니다.

결혼 이후 두 아이는 약 4년간 잘 지내는 듯했습니다. 그런데 5년째 되던 해부터 불안해 보였습니다. 사위는 딸아이에게 점점 무관심해지고, 딸아이는 그런 남편에게 불만이 많아지면서 서로의 갈등 횟수가 증가되었지요. 그러다가 남편의 숨어 있던 많은 상처들이 표면화되기 시작하며 처음 우리가 염려했던 것들이 현실로 나타나기 시작했습니다. 부모로서 우리는 틈틈이 상담도 하고 조언도 해 주고는 했습니다. 그러던 어느 날 남편이 "너와는 도저히 못살겠다"며 갑자기 집을 나가 버렸다는 소식이 들려왔습니다. 겉으로는 모든 것을 받아 주는 것 같은 남편을 믿던 딸아이는 얼마나 충격을 받았을까요?

십대에 미국에 이민을 와서 언어 때문에 놀림 받았던 상처와 열등감이 분노로 폭발되어 버린 것입니다. 그때 우리는 두 사람을 만나 많은 신앙적 상담을 해 주었지만, 강퍅해진 사위의 마음은 돌아오지 않았고, 곧 다른 여자를 만나 동거를 하였습니다. 그러니 딸아이의 마음이 얼마나 아팠겠습니까?

딸아이는 순수하게 남편을 사랑했던 터라 상실의 깊은 상처를 안은 채 우울증 약을 복용해야 했습니다. 그 모습을 보자 부모로서 얼마나 마음이 아팠는지 모릅니다. 하지만 우리 부부의 마음 아픔이 문제가 아니었습니다. 시름시름 앓아 가며 생명력을 잃어 가는 딸아이가 문제였습니다. 저희 부부는 "어떻게든 이 아이를 살리자"는 데에 모든 뜻을 모았고 아이 마음을 위로하기 시작했습니다. 틈만 나면 딸아이를 포용해 주면서 이렇게 말했습니다.

"하나님께서 너를 사랑하신다. 네게 무슨 일이 일어나도 우리는 항상 네 편이다."

그러나 이혼만은 절대로 안 된다는 딸아이의 뜻과 달리 상대방은 일방적으로 이혼 신청을 해서 법적인 이혼까지 순식간에 이루어지고 말았습니다. 동시에 딸아이의 방황은 더욱 깊어 갔습니다. 딸아이는 자신의 이혼 사실도 받아들이기 힘들어 했지만, 부모에게 고통을 안겨 줬다는 사실에도 마음을 쓰고 있었습니다.

"엄마 아빠, 죄송해요. 두분이 가정사역을 하시는데 제가 이런 일을 겪다니, 엄마 아빠에게 부끄러움을 안겨 드리고 말았어요."

"아니야, 아니야. 괜찮아. 너는 내 딸이잖니? 너는 반드시 잘될 수 있어."

아마 예전의 권위주의적이고 율법적인 제 성격이었다면 딸아이를 한번쯤은 나무랐을지도 모릅니다.

"그러게 진작 이런 사태를 막았어야지."

하지만 하나님 아버지의 사랑을 느끼고 체험해 온 저로서는 그렇게 할 수가 없었습니다. 죄인 된 저를 무조건 용서하시고 받아 주실 뿐 아니라 회복까지도 선물해 주시는 하나님의 사랑을 아는 제가 어떻게 딸아이를 정죄하거나 나무랄 수 있겠습니까?

"괜찮아, 하나님께서 너를 사랑하시잖니? 이제 너에게 회복이 올 거야. 너는 이제 앞으로 다 잘될 거야. 엄마와 아빠가 너를 끝까지 사랑하고 보호해 줄게. 너는 우리에게 단 하나밖에 없는 소중한 딸이야."

사실 저희 부부 역시 그 과정을 지나오는 동안 어느 때보다 마음이 무겁고 괴로웠습니다. 내 자식의 인생 속에 이혼이란 단어가 찾아들 줄은 상상도 못했기 때문입니다. 그러나 저희 부부는 곧 그 과정을 허락하신 하나님의 뜻을 헤아리게 되었습니다.

예전엔 부부 세미나를 하고 다니면서도 깨어진 가정, 어려운 가정의 아픔을 공감하지 못한 채 강의를 하곤 했습니다. 깨어지려는 가정, 이혼의 위기를 겪는 가정의 아픔을 가슴으로 느끼지 못한 채 입으로만 "잘 살아야 한다"고 외쳤던 우리 자신을 발견하게 된 것입니다. 때로는 너무도 쉽게 이혼 가정을 정죄했던 면도 회개하게 되었습니다.

어떤 면에서는 가정사역자인 우리를 성숙시키시려고 딸아이에게 이런 시련이 찾아오지 않았나 하는 생각마저 들었습니다. 아내는 어느 날, 울면서 이런 말도 했습니다.

"여보, 내 딸이 우울증 약을 복용해야 할 정도로 고통스러워하는 걸 보면서 엄마로서 아무것도 해 줄 수 없단 사실이 너무 아득해요. 차라리 내가 죽고 딸아이가 온전히 회복될 수 있다면 얼마나 좋을까요? 자식이 고통당하는 걸 보니까 나를 위해 죽으신 예수님의 마음을 백만분의 일이나마 헤아릴 수 있을 것 같아요."

아닌 게 아니라 아내는 "엄마가 죽어서 딸아이가 회복될 수 있다면 기꺼이 죽음을 선택하겠노라"고 했습니다. 그만큼 승승장구하던 딸아이의 인생에 찾아온 결혼생활의 실패는 부모에게 큰 아픔이었습니다.

특별히 딸아이는 인생의 실패를 모르고 컸기에 더욱 낙망이 되었던 것 같습니다. 그러나 하나님께서 우리에게 허락하신 최고의 약은 '시간'이라고 했던가요? 믿음으로 자란 딸아이는 시간이 갈수록 서서히 믿음 안에서 회복되어 갔습니다. 물론 그 과정에는 부모의 극진한 위로와 동참도 있었습니다. 종종 저는 울며 누워 있는 딸아이를 찾아가 온몸을 마사지해 주기도 하고 딸아이가 잠들 때까지 노래를 불러 주기도 했습니다.

그러기를 3-4년 했을까요? 고맙게도 딸아이는 어느 날부턴가 믿음의 눈으로 자신의 사건을 해석해 나갔습니다.

"아빠, 나는 하늘 높은 줄 모르고 항상 승승장구했잖아요. 맘만 먹으면 공부도 잘했고, 변호사도 금방 되었잖아요. 인생의 좌절이란 걸 모른 채 항상 높은 성벽을 쌓아 가며 남들보다 높아 보이는 위치에 서는 걸 좋아했어요. 그게 체면치레인 줄도 모르고 말이에요.

그런데 이 과정을 겪으면서 저를 포장하고 있던 성벽을 무너뜨리고 제 자신의 모습을 있는 그대로 드러내니까 오히려 많은 사람들이 저를 더 좋아하는 걸 알게 되고, 저 역시 자유함을 얻었어요. 어디에서도 꺾이지 않았던 제 강한 성품 역시 부드럽게 변화되었고요."

자신을 돌아보며 돌이키는 딸아이의 그런 고백이 이어지면서 어느 날부턴가 딸아이의 얼굴이 밝아지고 예뻐지는 걸 발견할 수 있었습니다. 하나님을 향한 딸아이의 믿음도 더욱 신실해져 갔습니다. 그러자 하나님께선 딸아이에게 큰 선물을 허락하셨습니다. 주 안에서 신실하고 건실한 청년을 교회에서 만나게 된 것입니다!

미국의 명문대학을 나와 변호사로 활동하고 있는 그 청년은 딸아이를 있는 그대로 용납하며 사랑해 주었습니다. 더욱 감사한 것은 그 청년의 부모님들까지도 딸아이를 무척이나 사랑해 준다는 것이었습니다. 그 집 부모님 말씀에 따르면 서른이 넘었는데도 결혼할 생각을 전혀 안 하던 아들이 처음으로 결혼하겠다는 의사를 강력하게 비쳤다는 사실에 감격해 딸아이를 예뻐하지 않을 수 없었다고 합니다. 하나님께선 그와 같은 회복과 기쁨을 딸아이에게 허락해 주신 것입니다!

그 후 딸아이는 남편의 사랑과 지지 속에서 완전히 어린아이로 돌아가 얼마나 행복한 결혼생활을 영위하는지 모릅니다. 부부관계에서도 더욱 성숙해진 모습으로 남편을 섬기게 되었습니다. 하나님께서 베푸신 놀라운 은혜가 아닐 수 없습니다.

저는 이 책을 쓰면서 우리 가정의 이와 같은 이야기의 공개 여부를 놓고 무척이나 고민했습니다. 그런데 세 가지 이유에서 이 이야기를 하는 게 좋겠다는 생각이 들었습니다.

첫째로, 딸아이의 고백대로 딸아이에겐 이제 자신의 있는 모습 그대로를 보여 줄 만큼의 자유함과 마음의 넓은 그릇이 주님의 은혜로 생겨났습니다. 그러므로 혹시 깨어진 가정의 아픔으로 고통을 겪는 자녀들이 있다면 우리 딸아이의 이야기를 통해 회복을 꿈꾸었으면 하는 마음에서입니다.

둘째로, 이 책을 읽는 부모들에게 제 딸아이의 사연을 공개하면서까지 꼭 당부하고 싶은 이야기가 있었습니다. 그것은 "결혼생활의 아픔을 겪는 자녀들에게 부모는 회복과 소망의 메신저가 되어야 한다"는 사실입니다. 극한 위기상황 속에서 죽음까지도 생각하고 있는 자녀에게 "너 죽고 나 죽자"는 식으로 막 대하기보다는, 흔들리지 않는 사랑을 보여 주는 가운데 함께 회개하고 함께 회복을 꿈꾸며 나아가는 사람이 바로 부모임을 말씀드리고 싶었습니다. 부모가 그렇게 인생을 안내할 때 우리의 자녀는 반드시 하나님의 은혜 속에서 회복할 수 있고, 행복한 결혼생활을 영위할 수 있음을 나누고 싶었습니다.

셋째로, 우리 각 가정에 닥치는 시련과 고통이 결국은 우리 가정을 좀 더 성숙한 가정으로 만드사 더 큰 일에 쓰시려는 계획, 즉 변장된 축복임을 나누고 싶었습니다. "고난당한 것이 내게 유익이라 이로 말미암아 내가 주의 율례들을 배우게 되었나이다"라는 시편 119편 71절 말씀처럼, 저희 가정은 그때의 그 시련을 통해 부모 자식 간의 뜨겁고 끈끈한 사랑을 회복했을 뿐 아니라, 사랑이란 무엇이며 어떻게 사랑하며 살아야 하는지에 대해 가족 모두가 깊이 알아 갈 수 있었습니다. 딸아이를 통해 우리 부부의 사역 범위 또한 확장되고 성숙해졌습니다. 결국, 시련이 축복이었음을 감사할 수 있게 된 것입니다.

혹, 가정에 닥치는 시련이 있다면 이와 같은 눈으로 바라보며 그 시련을 이겨 나가시기 바랍니다. 특별히 자녀들에게 닥치는 시련과 고통은 분명 자녀들에게 축복이 될 것임을 믿는 태도로 문제를 해결해 간다면, 믿음대로 역사하시는 분의 뜻을 따라 우리 자녀들에게 축복의 길이 활짝 열리리라 믿습니다.

Park's Tip

1 결혼생활을 시작했다는 것은 그전과는 다른 차원의 육중한 시련을 맞게 된다는 의미도 포함합니다.

2 진정한 부부의 동행이란 상대방 때문에 고통이 오더라도 그것을 달게 받으며 함께 가는 것입니다.

3 결혼생활의 아픔을 겪는 자녀들에게 부모는 회복과 소망의 메신저가 되어야 합니다.

4 자녀들에게 닥치는 시련과 고통은 하나님께서 그들을 더욱 성숙케 하사 더 큰 일에 쓰시려는 변장된 축복입니다.

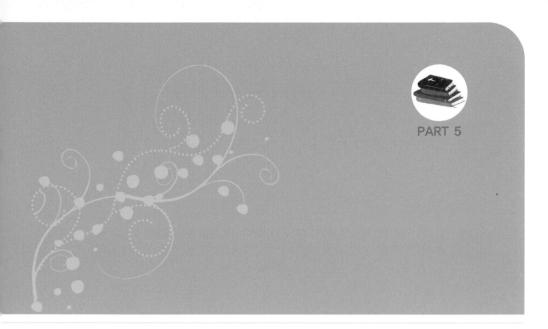

PART 5

자녀에게 기독교
명문 가문을 이어 가게 하라

명문 가문의 꽃씨를 심자

10

부모는 성경대로 살아야 하는 사명과 함께 자녀들에게 생명을 걸고
성경 말씀을 심어 주어야 할 사명이 동시에 주어졌습니다.

믿음으로 살고 믿음으로 교육하라

미국의 16대 대통령이었던 링컨은 이런 말을 했습니다.

"꽃이 있어야 할 자리에 엉겅퀴가 있는 게 보인다면 비판하거나 원망
하지 말고 그 엉겅퀴를 뽑고 꽃을 심으라. 원망이나 불평 대신 꽃을 심는
자가 꽃의 열매를 얻을 수 있다."

심지도 않고 혹은 다른 것을 심어 놓고 꽃을 기대한다는 것은 있을 수
없는 일이라는 뜻입니다. 팥을 심어야 팥이 나고, 콩을 심어야 콩이 난다
는 것이지요.

특별히 저는 이 말을 자녀교육을 통해 기독교 명문 가문을 이루려는 많은 사람들에게 새겨듣도록 권면합니다. 명문 가문이란 저절로 세워지는 게 아니라 명문 가문의 꽃씨를 심어야만 세워질 수 있기 때문입니다.

저와 아내는 자녀교육세미나를 열 때마다 그런 말을 합니다.

"우리가 지금껏 해 왔던 일들 중 가장 어렵고 힘들었던 일을 꼽으라면 자녀교육이었습니다. 정말 한 걸음 한 걸음이 쉽지 않았습니다. 어떤 면에서 목숨을 걸다시피 하며 감당해 왔습니다. 그러나 지금껏 해 온 많은 일 중 가장 기쁘고 감사한 일을 꼽으라면 역시 자녀교육입니다."

여기서 "자녀교육에 목숨 건다"는 말을 잘 이해해야 합니다. 앞서 강조한 대로, 자녀의 입신출세를 위해 안달을 내라는 뜻이 아니라 내 자녀들이 하나님 나라 백성으로 세상에 나가 쓰임받게 하기 위해 생명을 걸라는 뜻입니다. 우리가 그렇게 자녀교육에 생명 걸 때 우리 가정이 하나님 나라의 명문 가문으로 세워짐과 동시에 이 나라 이 민족이 살며, 하나님 나라가 확장되어 갑니다. 그런 면에서 자녀들에게 말씀의 씨를 뿌리며 기독교 명문 가문을 세워 가는 일이야말로 목숨 걸 만한 일이라 말할 수 있습니다.

세상에서는 주로 부와 명예, 혹은 권력이 자자손손 이어지면 명문 가문이라 칭합니다. 그러나 기독교 명문 가정은 그런 기준으로 분류하지 않습니다. 오직 하나님께서 이 땅에 가정을 세우신 목적을 자자손손 이루어가는 가문을 일컬어 '기독교 명문 가문'이라 말합니다.

하나님께서 가정을 세우신 목적, 그것이 무엇입니까? 한마디로 '거룩'입니다. 많은 사람들은 행복하기 위해 가정이 존재한다고 믿습니다. 그러나 가정의 궁극적인 존재 목적은 행복이 아니라 거룩입니다. 행복은 거룩을 위해 나아갈 때 주어지는 선물이지 그 자체가 목적이 아니라는 것입니다. 이는 남자와 여자를 창조하여 가정을 이루게 하실 때 한 사람은 영적인 '돕는 배필'로, 한 사람은 '여자의 머리'로 그 역할을 주시면서, 두 사람이 사랑하여 하나 되게 하실 뿐 아니라, 한 몸을 이룬 채 가정의 머리 되신 주님을 온전하게 바라보도록 이끄셨다는 창세기 말씀을 보면 정확하게 알 수 있습니다. 즉, 가정의 존재 이유는 머리 되신 주님과 '하나 됨'을 이루는 데 있는데, 그 하나 됨이 바로 '거룩'이라는 것입니다.

따라서 우리 가문을 명문 가문으로 세우기 위한 필수조건은 후손들이 대대로 하나님 나라 백성으로서 견고한 믿음을 갖는 데 있습니다. 모든 자녀들이 하나님을 믿어 구원에 이를 뿐 아니라 말씀대로 살고 말씀대로 열매 맺는 인생을 살 때 우리 가문은 기독교 명문 가문으로서 뿌리를 내리게 됩니다. 그런 가정은 가난하거나 권력이 없거나 명예가 주어지지 않아도 분명한 기독교 명문 가문으로서 하나님께 인정받으며 빛을 발할 수 있습니다.

반대로 아무리 사회적 명성과 부가 주어진다 해도 말씀의 푯대로 자녀들을 교육하지 못하면 그 가문은 결국 기독교 명문 가문의 반열에 오를 수가 없습니다. 대표적인 집안이 윈스턴 처칠의 가문입니다. 처칠은 위대한 정치가로 평가받는 인물입니다. 하지만 그 가문은 영국의 전통 명문 가문이었음에도 자녀교육에 실패함으로써 명문 가문의 대를 잇지 못했습니다. 응석받이로 자란 그의 아들 랜돌프는 영국 국민들에게 '런던의 아기 공작새'라 불리며 조롱당했고, 영국 언론 역시 그의 가문에 다음과 같은 평가를 안겨 줄 뿐이었습니다.

"역사는 일류 아버지가 이류 아들을 만들어 낸다는 것을 거의 확실히 증명한다."

아무리 위대한 업적을 남겼다 해도 그 자체가 자녀교육의 성패를 가늠하는 기준이 되지 못함을 처칠의 생애는 보여 줍니다. 즉, 부모인 우리에게는 성경대로 살아야 하는 사명과 함께, 자녀들에게 생명을 걸고 성경 말씀을 심어 줘야 할 사명이 동시에 주어졌다는 것입니다. 이 두 가지 중 어느 한 가지라도 놓치지 않을 때, 우리는 마침내 기독교 명문 가문의 뿌리를 내리는 믿음의 조상이 될 수 있습니다.

성경 속에서 만나는 '멸문 가문'과 '명문 가문'

성경에서도 이와 같은 인물이 등장합니다. 여호수아의 가문을 보십시오.

여호수아는 우리가 아는 대로 훌륭한 하나님의 사람입니다. 그는 "오직 나와 내 집은 여호와를 섬기겠노라"(수 24:15)는 고백대로 그의 사는 날 동안 하나님을 충심으로 섬겼습니다. 그러나 여호수아서 마지막 부분(수 24:31)에 나타난 대로, 그의 가문은 여호수아가 사는 날 동안만 하나님을 섬겼습니다. 그가 죽은 후에 그의 후손들은 하나님을 섬기기 싫어하는 타락한 본성으로 돌아가 여호와를 버리고 다른 신들을 따름으로써 하나님의 진노를 샀습니다. 저마다 각자의 소견대로 행하는(삿 17:6) 사사기의 암흑시대가 도래한 것입니다. 이는 아름다운 가문의 전통을 이어 가지 못한 채 멸문 가문으로 전락하는 공백이 생겼다는 뜻입니다. 여호수아는 자신의 믿음은 잘 지켰지만 그 복된 그 믿음을 후손들에게 전해 주지 못했다는 점에서 명문 가문의 조상으로 자리 잡지 못하고 말았습니다.

엘리 가문의 경우는 더 심각합니다. 엘리는 선지자 사무엘의 영적 스승으로서 하나님을 매우 경외하는 인물이었습니다. 그러나 그는 자식들에게 하나님을 경외하도록 교육하지 않았습니다. 하나님의 말씀으로 교훈하고 훈육하면서 때로는 엄히 징계하는 교육을 하지 못했습니다. 그 때문에 엘리의 아들들은 여호와의 무서운 심판을 받아야 했습니다.

> "내가 그의 집을 영원토록 심판하겠다고 그에게 말한 것은 그가 아는 죄악 때문이니 이는 그가 자기의 아들들이 저주를 자청하되 금하지 아니하였음이니라"(삼상 3:13).

성경은 엘리가 자기의 아들들이 저주를 불러오는 행동을 하는데도 금하지 않았다고 증언합니다. 귀한 자식일수록 부모가 엄히 가르치고 징계해야 하는데, 엘리는 자식들을 무조건 품어 주기만 함으로써 하나님의 심판을 받도록 인도한 꼴이 되고 말았습니다.

이와 반대로 존 웨슬리의 어머니 수산나를 보십시오. 그녀는 19명의 자녀를 낳았는데 그들 중에는 영국에 무혈혁명을 일으켰던 유명한 신학자 겸 부흥사인 존 웨슬리와 8천여 곡의 찬송을 작곡한 찰스 웨슬리가 있었습니다. 어떻게 한 어머니에게서 이토록 영성 깊은 자녀들이 나올 수 있었겠습니까? 그 어머니에게는 가장 기초적이면서도 성경에 충실한 자녀교육의 원리가 있었기 때문입니다.

"간식은 절대 주지 않는다. 8시에는 반드시 잠을 재운다. 약은 불평 없이 먹도록 훈련시킨다. 어릴 때 의지를 바로잡는다. 영혼을 구원하기 위해 하나님과 협력한다. 말하기 시작할 때 기도부터 가르친다. 가정예배 시간에는 조용할 것을 요구한다. 아이가 울도록 만들지 않는다. 아이가 조용하게 요청할 때만 준다. 거짓말을 막기 위해서, 잘못했다고 하면 반드시 용서해 준다. 죄에는 반드시 벌을 준다. 착한 일을 하라고 해서 하면 상을 준다. 아주 작은 물건도 소유권을 인정한다. 모든 약속을 반드시 지킨다. 글을 잘 읽을 수 있을 때까지 일을 시키지 않는다. 매를 무서워하게 만든다."

이 중 마지막 자녀교육의 원리인 "매를 무서워하게 만든다"에 눈이 가지 않습니까? 자녀의 잘못에 대해 엄히 징계하며 잘못을 교정하겠다는 어머니 수산나의 의지를 보여 주는 부분입니다.

창세기에 등장하는 아브라함의 가문이 바로 그렇게 분명한 자녀교육의 원리를 따라 교육했던 가문입니다. 그는 믿음의 1대손이었습니다. 우상을 섬기는 집안에서 태어나 자랐고, 하나님의 음성을 들은 후 우상의 소굴인 본토 친척 아비 집을 떠나 광야생활을 했습니다. 하나님 말씀에 순종하기 위해 어떤 면에서 고생을 자처한 셈입니다. 그러나 그는 마침내 기독교 명문 가문의 조상이 되는 축복을 받았습니다. 하나님의 명령이라면 즉시 순종함으로써 자녀들에게 믿음의 본보기가 되었고, 100세에 낳은 귀한 아들 이삭에 대해서도 집착하거나 응석받이로 키우지 않고 하나님께 제물로 바침으로써 자자손손 아브라함의 하나님, 이삭의 하나님, 야곱의 하나님의 은혜를 누리는 가문이 될 수 있었습니다.

부모인 내가 어떤 믿음으로 살고, 어떤 믿음으로 자녀들을 교육하느냐에 따라 후손들의 가정이 달라집니다. 내가 "마땅히 행할 바를 자녀들에게 가르치면" 자녀들은 "늙어서도 그것을 떠나지 아니하여" 그 자녀들에게 또 "마땅히 행할 바를 가르치는" 일들이 이어집니다. 내가 믿음의 조상으로서서 자녀들을 교육할 때, 바로 나로부터 기독교 명문 가정이 세워집니다. 하나님께서는 이 일을 위해 당신을 부르셨고 당신의 가정을 부르셨습니다. 내가 곧 기독교 명문 가정의 조상이 되길 하나님께서는 원하고 계십니다.

한 사람의 믿음으로 이루어지는 천대의 축복

그런 면에서 우리는 믿음을 토대로 가문을 세워 가는 일에 생명을 걸어야 합니다. 부모인 나 자신부터 성경 말씀대로 살고, 또 내 자녀를 성경 말씀으로 교육하는 것은 개인의 가정사에 머무는 일이 아니라 애국하는 길이요, 하나님의 위대한 역사를 써 내려가는 실제적인 일이기 때문입니다.

우리가 잘 아는 조나단 에드워드 가문과 맥스 쥬크 가문을 비교해 보면 이 사실이 분명해집니다. 미국 최초로 부흥운동을 일으켰던 조나단 에드워드는 맥스 쥬크라는 친구와 한 동네에서 자랐다는 공통점이 있습니다. 달랐던 것은 조나단 에드워드는 믿음으로 자라 목회자가 되었고, 맥스 쥬크는 불신앙 가운데 자라 범죄자가 되었다는 사실입니다. 그리고 시간이 흐르고 흘러 한 사회학자가 두 가문의 가계도를 비교했을 때 두 가문은 엄청난 차이를 보여 주었습니다.

조나단 에드워드 가문의 후손 873명을 추적 연구한 결과 그중 대학 총장이 12명, 교수가 65명, 의사가 60명, 목회자가 1백 명, 군대 장교가 75명, 작가가 80명, 변호사가 1백 명, 판사가 30명, 정부의 고급 공무원이 80명, 하원의원이 3명, 상원의원이 1명, 그리고 미국 부통령이 1명 배출되었다는 조사가 나왔습니다.

반면, 조나단 에드워드의 친구였던 맥스 쥬크의 가계도를 보면 일단 후손이 1,292명이라는 점에서 에드워드의 후손보다 419명이 앞섭니다. 그러나 쥬크의 후손 중에는 만 4세가 되기 전에 죽은 사람만 309명이었고, 직업 거지가 310명이었으며, 일하다가 장애를 입은 사람만 440명, 매춘부가 50명, 투옥된 도둑이 60명, 살인자가 70명 그리고 실업자가 50명이라는 조사가 나왔습니다.

물론 단순히 어떤 직업군을 갖고 있느냐로 명문 가문과 멸문 가문을 판가름할 수는 없습니다. 가문을 세워 나가다 보면 때론 어려움을 당할 수도 있습니다. 그러나 두 가문의 후손들의 삶을 보다 세밀히 조사해 보면 조나단 에드워드의 후손들은 자신의 직업과 사명을 잘 찾아나간 반면, 쥬크의 후손들은 하나같이 인생 실패자로 생애를 마감했다는 점에서 나라와 민족에 대한 두 가문의 기여도, 또 하나님 나라 백성으로서의 영향력의 차이는 실로 엄청납니다.

이처럼 우리 1세대의 가정이 어떤 모습이냐에 따라 수백 명, 수천 명 이어지는 후손들의 가정의 모습은 확연하게 달라집니다. 내가 세워 나가는 우리 가문의 전통, 우리 가정의 자녀교육 방식이 이 나라에 복을 불러오는 통로가 될 수도 있고, 화를 불러오는 저주가 될 수도 있습니다.

기억하십시오. 하나님께서는 부모인 나의 믿음을 보시고 우리 가문을 명문 가문으로 세우기도 하시고 그렇지 않기도 하십니다. 그 하나님 앞에 믿음의 씨앗, 명문 가문의 꽃씨를 부지런히 심고 가꾸어야 합니다. 그럴 때 하나님께서는 그 꽃씨를 자라게 하셔서 수많은 열매를 맺게 하실 것입니다.

"네 하나님 여호와는 질투하는 하나님인즉 나를 미워하는 자의 죄를 갚되 아버지로부터 아들에게로 삼사 대까지 이르게 하거니와 나를 사랑하고 내 계명을 지키는 자에게는 천 대까지 은혜를 베푸느니라"(출 20:5-6).

Park's Tip

1 자녀교육에 생명을 걸 때 우리 가정이 하나님 나라의 명문 가문으로 세워짐과 동시에 이 나라와 이 민족이 살며, 하나님 나라가 확장되어 갑니다.

2 가정의 궁극적인 존재 목적은 행복이 아니라 거룩입니다. 행복은 거룩을 위해 나아갈 때 주어지는 선물이지 그 자체가 목적인 것은 아닙니다.

3 모든 자녀들이 하나님을 믿어 구원에 이를 뿐 아니라 말씀대로 살고 말씀대로 열매 맺는 인생을 살 때 우리 가문은 기독교 명문 가문으로서 뿌리를 내리게 됩니다.

4 부모인 내가 어떤 믿음으로 살고 어떤 믿음으로 자녀들을 교육하느냐에 따라 후손들의 가정이 달라집니다.

우리 가문을 명문 가문으로 세우기 위한 필수조건은 후손
들이 대대로 하나님 나라의 백성으로서 견고한 믿음을 갖는 데 있습니
다. 모든 자녀들이 말씀대로 살고 말씀대로 열매 맺는 인생을 살 때, 그
런 가정은 가난하거나 권력이 없거나 명예가 주어지지 않아도 분명한
기독교 명문 가문으로서 하나님께 인정받으며 빛을 발할 수 있습니다.

11 자녀의 미래 이력서를 준비시키라

하나님의 진리를 발견하고 진리를 따라 꿈꾸는 자녀,
하나님의 섭리를 보면서 미래를 경영하는 자녀들이
반드시 미래의 주인공이 될 것입니다.

푯대를 향해 가게 하는 나침반

지금까지 저는 자녀교육의 원리와 경험들을 소개하면서 자녀교육을 통한 기독교 명문 가문을 세우는 일에 전력하자는 제안을 드렸습니다. 이를 위해 부모 세대가 본을 보이자는 것과 성경을 토대로 한 교육철학을 정비하자는 것, 또 자녀의 직업과 비전의 길을 안내하며, 행복한 결혼생활을 카운슬링하자는 얘기까지 말씀드렸습니다.

이제 저는 그와 같은 모든 교육철학과 내용을 아우를 수 있는 '우리 가정의 비전 선언문'을 마련함으로써, 기독교 명문 가문을 세우는 일의 기초를 준비하라는 제안을 드리려고 합니다.

'우리 가정 비전 선언문'과 같은 가풍 세우기는 기독교 명문 가문을 세우는 일의 첫 단계라 할 수 있습니다. 가풍이나 가훈은 자녀들에게 푯대를 향해 가게 하는 나침반과 같은 역할을 하기 때문입니다. 무엇보다 부모인 우리가 언제까지 자녀의 삶에 개입할 수 있는 존재가 아니라는 점에서 가풍을 세워 가르치는 일은 중요합니다. 기본적으로 부모는 언젠가 하나님 품에 먼저 가게 될 사람들이며, 따라서 자녀들은 하나님 앞에 독립된 인격체로 살아가야 할 이들입니다. 즉, 부모라는 울타리, 부모라는 멘토가 일찍 세상을 떠나거나 혹은 부모와 독립해서 살아가게 될 때, 자녀들이 붙잡고 살아가야 할 중심 뼈대인 가풍이 있어야만 그 가문은 자자손손 믿음의 명맥을 유지할 수 있습니다. 그런 면에서 좋은 가풍은 자녀들이 어떤 위기 상황이나 삶의 변수를 맞이할 때도 문제를 뚫고 나가는 핵심 열쇠가 될 수 있습니다.

역사적으로 위대한 인물들의 생애를 보십시오. 어린 시절에 부모를 잃었음에도 삶의 푯대가 되어 준 가문의 가르침을 기억하며 시련을 이겨 낸 이야기들이 얼마나 많은지 모릅니다.

저는 그런 면에서 가풍의 성격을 조금 더 구체화한 '우리 가정 비전 선언문'을 만들 것을 제안합니다. 물론 이 비전 선언문은 하루아침에 만들어지지 않습니다. 부모의 삶에 은혜를 내려 주신 하나님에 대한 신뢰와 믿음, 그 하나님의 뜻을 새겨 넣기 위한 부모의 깊은 묵상이 있어야만 합니다. 무엇보다 이 비전 선언문 속에는 내 가정의 존재 목적과 자녀에 대한 교육철학이 담겨 있어야 합니다.

저희 가정의 비전 선언문은 2000년 1월에 작성되었습니다. 물론 가족들끼리 회의를 거쳐 초안을 마련했고, 그후 저와 아내가 깊이 기도하면서 완성했습니다.

우리 가정 비전 선언문(The Park Family's Vision Statement)

마태복음 6장 33절에 따라 우리 가정은 하나님 나라와 그 의를 구함으로써 아버지 하나님을 영화롭게 할 것이다. 그렇게 할 때 그분 뜻에 따라 모든 축복이 더해지리라 믿는다.

(Based on Matthew 6:33, our family will glorify our heavenly Father by seeking first God's kingdom and His righteousness, and in doing so, trust that all blessings will be given to us as well, according to His will.)

저희 가정은 이와 같은 비전 선언문을 만든 이후, 이 비전을 자자손손 이루기 위한 구체적인 전략도 만들어 자녀들과 공유하고 있습니다.

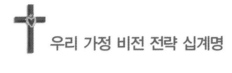

우리 가정 비전 전략 십계명

1. 우리 가정은 하나님 나라와 하나님의 의를 구함을 목적으로 존재한다.

2. 우리 가정은 하나님 말씀을 묵상하고 하나님과 깊은 교제 속에서 하나님의 형상을 이루는 것을 추구한다.

3. 우리 가정은 모든 식구가 서로 깊은 대화 속에서 서로를 이해하고 용납하고 사랑한다.

4. 우리 가정은 어떤 역경이 와도 놀라거나 두려워하지 않고 하나님을 의지하고, 하나님의 주권을 인정하고 순종하며 승리한다.

5. 우리 가정은 기쁨과 환희의 순간에는 서로 기뻐하고 누리며 이웃과 나눈다.

6. 우리 가정은 실력을 양성하기 위해 책을 많이 읽고 타인의 경험을 통해 배우며 성장하는 지성적인 가정이 된다.

7. 우리 가정은 서로의 재능을 계발하여 하나님이 주신 달란트를 잘 발휘하도록 서로 격려한다.

8. 우리 가정은 믿는 성도와 좋은 교제를 하며 같이 성숙해 가고 불신자들에게 말과 삶으로 복음을 증거하는 증인의 삶을 산다.

9. 우리 가정은 우리의 몸이 하나님의 성전임을 알고 영혼육에 건강을 유지하도록 균형 잡힌 식생활, 운동, 감사생활로 건강한 삶을 산다.

10. 우리 가정은 세상에 빛과 소금이 되어 축복을 나누는 축복의 통로가 되고 세상을 가슴에 품고 복음의 전령으로 헌신한다.

저희 가정이 이와 같은 비전 선언문을 만들어 자녀들과 나누기 시작한 뒤로, 저희 가족 모두는 비전 선언문을 항상 적용해서 살도록 노력하고 있습니다. 큰아들 형진이의 경우만 봐도, 한국에 나와 1년 정도 기업에 취업할 때도 "네 인생의 목표가 무엇이냐?"라는 질문에 이렇게 답변했다고 합니다.

"제 인생의 목표는 마태복음 6장 33절입니다."

남들이 "대기업 이사가 되는 것", "전원주택을 마련하는 것" 등의 대답을 할 때 형진이는 이처럼 우리 가정의 비전 선언문으로 그 답을 대신했습니다. 비전 선언문 속에 아들의 인생 목표가 담겨 있기 때문입니다.

이와 같은 가풍은 때로 정체성의 혼돈이 올 때 자기 정체성을 찾아가게 하는 역할도 해 줍니다. 「섬기는 부모가 자녀를 큰사람으로 키운다」(전혜성 저, 랜덤하우스)라는 책에는 미국계 아버지와 한국인 어머니를 둔 자녀의 이야기가 다음과 같이 소개되어 있습니다.

"동암문화연구소에서 주최한 모임에서 우리 막내는 이런 질문을 받은 적이 있다.

'너는 50퍼센트가 한국인이며 50퍼센트는 미국인이냐, 혹은 40퍼센트는 한국인이며 60퍼센트는 미국인이냐?'

이 말에 아들은 서슴지 않고 이렇게 대답했다.

'나는 100퍼센트 크리스천이다.'

이 아이가 자기 자신의 정체성을 이처럼 긍정적으로 정의 내릴 수 있었던 이유가 무엇이었겠습니까? 저는 분명 그 가정의 가풍에 있었을 거란 생각이 들었습니다. 신앙교육에 바탕을 둔 그 가정의 교육 줄기, 그것이 우리 자녀들을 이처럼 거친 세상 속에서도 꿋꿋하게 달려가게 할 자원이 되고 힘이 되는 것입니다.

자녀의 미래를 꿈꾸게 하라

비전 선언문을 만들어 자녀들에게 선포하는 이유 중 하나는 자녀들에게 미래를 준비시키기 위함입니다. 비전 선언문을 나침반 삼아 자신의 미래를 하나님 앞에 능동적으로 계획하며 경영하도록 하기 위함이지요.

따라서 일정한 시점에 이르면 자녀들에게 비전 선언문을 기초로 한 '내 인생의 미래 이력서'를 쓰도록 도전하는 일이 필요합니다.

저는 1997년 말에 1998년도부터 시작되는 제 인생의 '미래 이력서'를 쓴 일이 있습니다. 본래 이력서란 과거의 경력과 이력을 담아내 자신을 표현하는 용도로 사용합니다. 그러나 우리 가정이 1973년 뉴욕에 도착한 후 미국 이민 25년째를 맞던 그 해를 기점으로 저는 이력서란 단어를 과거가 아니라 미래를 위한 용도로 사용하게 되었습니다.

그날 저는 모처럼 병원을 쉬며 말씀을 묵상하다가 제 삶을 새롭게 계획하라는 성령의 강한 감동을 느꼈습니다. 바로 '미래 이력서'를 쓰라는 감동이었지요. 하나님께선 지금까지의 인생은 제 삶의 '전반부'였고, 이제부터는 인생의 '후반부'가 펼쳐지리라고 말씀하셨습니다. 그러자 저는 문득 이원설 박사(전 한남대 총장)의 예가 생각나면서 제 '미래 이력서'를 한 해 한 해 쓰게 되었습니다. 미국에서 25년을 보내고 다시 맞게 될 25년을 계획하기로 한 것입니다.

저는 우선 제 인생을 3단계로 나눠 보았습니다. 1944년 한국에서 태어나 미국에 들어오기까지의 30년의 시간이 첫 단계, 즉 'Korean Tire'의 시기였습니다. 영적인 방황 이후 예수님 영접, 헌신, 성령세례로 이어지던 그 순간들은 이른바 '기초 단계'라 할 수 있습니다. 그리고 미국에 들어와 2004년까지(60세) 의사생활을 하는 시간이 '훈련 단계', 즉 'American Tire'의 시기였고, 2004년 이후를 '사역 단계', 즉 'Global World Tire'의 시기로 하나님께 헌신했습니다. 세상 사람들은 일을 'Retire'(은퇴)라고 하지만, 크리스천에게는 은퇴가 없고 단지 타이어를 교체하는 새로운 도전이 있을 따름입니다. 따라서 미래 이력서를 쓸 당시인 1998년도에도 저는 한창 마취과 의사로서 활동하고 있었지만, 60세가 되는 2004년도부터 본격적인 사역을 위해 병원을 사임하고 풀타임 사역자로서 헌신할 것을 결단했습니다. 새로운 인생의 장이 시작된 것이지요. 그때를 바라보며 한 해 한 해의 중요한 일들을 미리 경영해 나갔습니다. 그중 몇 가지만 소개하면 다음과 같습니다.

1998년(54세)

- 큰아들 형진 결혼(1월)
- 큰 집 정리하고 심플 라이프를 위해 작은 집으로 옮길 준비하다
- 직장 일 줄이고 복음사역에 집중하다
- 사역 위해 1년에 8주 휴가 결정하다

2000년(56세)

- JAMA, KOSTA, CCC 집회 전 세계에서 개최하다
- 병원 일 줄이는 데 성공, 휴가 12주!
- 신학교 공부 진행하다

2004년(60세)

- 모든 사역 계속 진행하며 확대하다
- 병원에서 은퇴하다
- 집 구매를 위한 은행 융자 완전 청산하다
- 막내아들 명진 결혼으로 2남 1녀 자립시키다
- 전 세계로 사역범위 넓히다

이 미래 이력서를 쓴 이후 저는 더욱 미래를 준비하는 일에 집중했습니다. 특히 60세 이후의 본격적인 사역을 위해 신학교를 다니고, CCC 훈련을 받았으며, 미국과 전 세계의 많은 캠퍼스에 제자훈련과 동시에 한민족 디아스포라의 비전을 펼쳐나가고 있습니다. 또한 해마다 미래 이력서를 재점검하면서 제가 인생의 어느 시점에 와 있는지, 과연 방향을 잘 찾아가고 있는지를 돌아보곤 했습니다.

그런데 놀라운 일이 벌어졌습니다. 그 이후의 제 인생 후반기는 1998년도에 썼던 미래 이력서대로 펼쳐졌습니다. 성령의 감동으로 썼던 미래 경영 계획서인 미래 이력서 위에 하나님께서 은혜를 부어 주고 계셨던 것입니다.

어떻게 이런 일이 가능할까요? 우리가 인생을 계획할 때 성경의 원리대로 자신의 인생을 바라보면 우리의 미래를 객관적이며 진취적으로 경영할 통찰력이 생겨나기 때문입니다.

성경의 수많은 인물들의 생애를 보십시오. 그들의 삶을 이끄시는 하나님의 일관된 인생 원리가 있습니다. 모세만 해도 궁중에서의 40년(기초 단계), 미디안 광야에서의 40년(훈련 단계), 출애굽에서의 40년(사역 단계)으로 그 삶을 요약할 수 있습니다.

요셉의 경우에도 가나안에서의 17년이 1단계(기초 단계)요, 애굽에서 감옥생활 할 때까지의 13년(훈련 단계)이 2단계이며, 국무총리가 된 이후(사역 단계)의 3단계라 할 수 있습니다.

사도 바울은 어떻습니까? 다소에서 태어난 이후 가말리엘 문하에서 훈련받다가 다메섹 사건을 통해 예수님을 만나 변화될 때까지가 1단계이고, 아라비아에서 훈련받은 이후가 2단계, 안디옥교회에 와서 선교 사역을 하면서부터가 3단계입니다.

성경을 묵상해 보면 하나님께서는 인생을 중구난방으로 경영하시는 게 아니라, 정확한 시간표에 따라 인도하심을 알게 됩니다. 인생을 향하신 하나님의 목적을 이루기 위해 하나님의 시간에 하나님의 방법으로 하나님께서 인생들을 이끌고 가시는 것입니다.

하나님께선 우리 자녀들의 삶도 그렇게 인도해 가실 것입니다. 반드시 예수 그리스도를 인격적으로 만나게 하시고 성령님을 모시게 하시며, 사명을 위한 훈련단계에 들어가게 하셨다가, 이 땅의 빛과 소금으로 쓰시는 분이 하나님이십니다.

그러므로 자녀를 위한 최고의 미래 전략은 다른 게 없습니다. 하나님 안에서 미래를 꿈꾸며 경영하게 하는 것입니다. 향후 20-30년 후에는 아이들의 90퍼센트가 지금은 존재하지도 않는 직업을 갖게 되고, 한 사람이 전혀 다른 분야의 직업을 5-6개 보유하는 시대가 될 것이라는 예측이 보편화되고 있는 시대입니다. 노동 시장의 대변동, 사회 흐름의 대격동 속에 우리 자녀들이 살아가야 한다는 뜻입니다.

그때를 대비해 우리 자녀들에게 반드시 심어 줘야 할 것이 무엇이겠습니까? 수시로 변하는 교육 정책이나 급변하는 세계정세 속에서도 영원히

흔들리지 않을 근본적 지침인 말씀에 근거한 우리 가정의 비전 선언문입니다. 성경적 가풍입니다. 그 가풍을 바탕으로 미래를 경영해 나가는 능력입니다. 그런 근본적인 지침과 능력을 갖고 있으면 우리 자녀들은 언제든 어느 때든 동요하지 않고 살아갈 뿐 아니라, 하나님의 뜻을 이루어 가는 인생을 살 것입니다.

세상은 변하지만 세상을 움직이는 진리는 변하지 않습니다. 그러므로 하나님의 진리를 발견하고 진리를 따라 꿈꾸는 자녀, 하나님의 섭리를 보면서 미래를 경영하는 자녀들이 반드시 미래의 주인공이 될 것입니다.

부모인 우리는 바로 그런 주인공들을 키워 내는 사람들입니다. 하나님께선 우리에게 그런 막중한 사명을 맡기셨습니다. 자녀에게 본이 되고, 자녀를 하나님의 사람들로 키워 낼 멘토 역할을 하라고 우리를 부르셨습니다. 우리는 그런 엄마 아빠로 부름받은 하나님의 청지기입니다. 우리의 이름은 바로 '엄마 아빠'인 것입니다.

Park's Tip

1 가풍이나 가훈은 자녀들에게 푯대를 향해 가게 하는 나침반과 같은 역할을 합니다.

2 든든한 신앙교육은 우리 자녀들을 거친 세상 속에서도 꿋꿋하게 달려가게 할 자원이 되고 힘이 됩니다.

3 성경을 묵상해 보면 하나님께서는 인생을 중구난방으로 경영하시는 게 아니라, 정확한 시간표에 따라 인도하심을 알게 됩니다.

4 자녀를 위한 최고의 미래 전략은 다른 게 없습니다. 하나님 안에서 미래를 꿈꾸며 경영하게 하는 것입니다.

열매가 약속된 자녀교육의 길

우리의 자녀교육은 아직 끝나지 않았습니다. 우리 자녀들이 40세가 가까이 됐지만 지금도 여전히 진행형입니다. 왜냐하면 그들은 이 순간도 성장하고 있기 때문입니다.

크리스천 명문 가문을 만들기 위해, 그들을 21세기의 지도자로 만들기 위해 우리는 지금도 자녀교육을 행하는 중입니다. 그럴 수밖에 없는 것이 자녀들을 보면 여전히 연약한 부분들이 많이 보입니다. 아직도 마땅히 행할 바를 온전히 행치 못하고 있음을 알게 됩니다.

그래서 부모는 자녀들이 독립한 뒤에도 자녀들을 향한 기도의 끈을 놓을 수가 없습니다. 그들이 큰 나무로 자라 많은 새들도 쉬어 가게 하고, 많은 열매로 세상을 유익하게 하는 존재가 되도록 하나님께 기도하며 매달립니다. 이른 비와 늦은 비, 적당한 햇빛을 주셔서 나무가 계속 성장할 수 있기를 간구합니다. 때로는 해충을 이겨 내기 위한 방법을 나무에게 일러 주며 기도합니다. 왜 이겨 내야 하는지, 왜 성장해야 하는지, 왜 열매 맺어야 하는지를 끊임없이 들려줍니다. 마치 늙은 농부와도 같이 나무를 가꾸고 돌보는 일을 쉬지 못합니다. 아니, 그것이 농부에게 주어진 사명이요 기쁨인 줄 알기에 기꺼이, 또 소리 없이 그 수고를 감당합니다.

저희 부부는 그래서 지금도 한 달에 한 번씩 갖는 '패밀리 타임'(Family time)이 돌아올 때마다 자녀들을 향하신 하나님의 소원을 가르칩니다. 그들이 더욱 하나님의 형상을 닮도록 격려하고 부모인 우리들도 본이 되도록 노력하는 걸 멈추지 않습니다. 아직 자녀교육은 완성되지 않았기 때문입니다.

그러면서 한편, 자녀들의 부족한 모습 속에서 부모인 우리들의 부족한 모습을 발견합니다. 부모인 우리 역시 하나님 아버지 앞에서는 여전히 공사 중인 자들임을 깨닫는 것입니다. 그것은 우리에게 겸손을 알게 하고, 성장을 위한 가장 신선한 자극제가 되어 부모인 우리들을 성장시키기도 합니다. 자녀들을 통해 부모인 우리 역시 정체되지 않고 그리스도의 장성한 분량까지 계속해서 성장해 가는 것입니다.

우리의 결혼기념일에 아들이 보낸 키드 속의 내용을 보십시오.

Mom and Dad,

I am very proud of you,

because you are still growing.

you are my role model.

I love you so much.

엄마 아빠!

저는 엄마 아빠가 너무 자랑스러워요.

왜냐하면 엄마 아빠는 지금도 자라고 계시기 때문이지요.

사랑합니다. 많이요.

엄마 아빠는 저의 역할 모델입니다.

우리는 부모로서 여전히 부족합니다. 우리 자녀들도 미약합니다. 그러나 그것이 희망이라는 사실을 아십니까?

당신의 가정은 어떻습니까? 부모의 모습, 또 자녀들의 모습이 만족할 만큼 완벽합니까?

아마도 고개를 흔드는 분들이 많을 겁니다.

그러나 실망하지 마십시오. 하나님의 은혜가 필요한 연약한 가정일수록 채워지는 하나님의 은혜가 클 것입니다. 문제는 부모인 우리가 하나님을 소망하며 기독교 명문 가정을 꿈꾸는 데에 있습니다. 하나님 나라와

의를 꿈꾸며 자녀들을 교육하고 기도한다면 하나님께선 우리를 은혜의 자리로 이끄십니다. 부족하기 짝이 없던 저를 가정사역자로 이끄셨던 하나님의 은혜가 바로 당신의 가정 위에 머물 것입니다.

현재 당신의 자녀들은 어떤 모습입니까? 많이 부족합니까? 하나님께서는 당신에게 창공을 향해 날아오르는 독수리 같은 자녀를 주셨습니다. 그런데 당신은 아직도 그 자녀를 닭장 속에 가둬 놓고 병아리처럼 키우고 있지는 않습니까? 그렇다면 하나님의 회복과 도우심을 간절히 간구하십시오. 부모로서 청지기적 자세로 자녀를 양육할 것을 결단하십시오. 먼저 내가 성장해 갈 것을 결심하십시오.

그 결단이 당신의 자녀, 우리 자녀들을 기독교 명문 가문의 후손이 되게 하는 거름이 될 것입니다. 그렇게 변화된 가정을 통해 이 나라와 열방이 푸르디 푸른 옥토로 변화될 것입니다. 우리는 끝나지 않은 자녀교육의 길에 서 있지만, 열매가 약속된 자녀교육의 길에 서 있습니다!

우리가 사랑하는 자녀들의 주인은 부모가 아닙니다.
천지를 창조하신 하나님이십니다.
부모는 자녀의 비전을 축복하고,
소명의 길을 걸어가도록 양육하는 청지기입니다.
성경적 자녀양육의 비법, 하나님의 청지기 의식을 회복하는데 있습니다.